neue frau
herausgegeben von
Angela Praesent und
Gisela Krahl

Milena Moser

Die Putzfraueninsel

Roman

Rowohlt

Für René A.,
den Außerirdischen

123.–142. Tausend März 1995

Veröffentlicht im Rowohlt Taschenbuch Verlag GmbH,
Reinbek bei Hamburg, Juni 1992
Copyright © 1992 by Rowohlt Taschenbuch Verlag GmbH,
Reinbek bei Hamburg
«Die Putzfraueninsel» Copyright © 1991 by Krösus Verlag, Zürich
Umschlaggestaltung Nina Rothfos
unter Verwendung einer Illustration von Ute Helmbold
Gesetzt aus der Sabon (Monotype Lasercomp)
Gesamtherstellung Clausen & Bosse, Leck
Printed in Germany
1090-ISBN 3 499 13209 5

Prolog

Nelly Schwarz starb am letzten Weihnachtsfeiertag.

Sie war früh aufgewacht. Sie hatte schlecht geschlafen. Unten im Hotel gab es drei Diskotheken, ein Spielkasino und eine Videobar. Es war alles nicht so, wie sie es sich vorgestellt hatte. Das Meer hatte vierzehn Grad. Zu kalt zum Baden. Vom Hotel aus führten endlose Steintreppen hinunter zum Strand. Nelly ging oft frühmorgens hinunter. Sie setzte sich auf einen Stein, blickte über das Wasser oder sammelte ein paar Muscheln auf. Sie mußte ein Jäckchen mitnehmen. Die Sonne schien um diese Zeit nur schwach. Das Hotel war ein unschöner, klobiger Kasten, ganz in Orange, mit genormten Zimmern und dünnen Wänden. Nelly konnte alles hören, was im Nebenzimmer vor sich ging. Tag und Nacht.

Diese jungen Leute, seufzte sie.

Nelly war aufgewacht, weil es plötzlich so still geworden war. Während sie kurz und unruhig geschlafen hatte, waren alle Geräusche verstummt. Sie warf einen Blick auf die Digitalanzeige des am Kopfteil des Bettes eingebauten Radios.

Fünf Uhr siebenundvierzig. Sie stand auf und blickte aus dem Fenster, das sich nicht öffnen ließ. Wegen der Klimaanlage. Der Himmel war rosa gestreift. Das Meer lag durchsichtig weit unten. Nelly zog ihren bunten Kinderbadeanzug an, lila Plastiksandalen und einen kurzen, blumenbedruckten Strandmantel. Sie sah sich im Spiegel: Sie sah älter aus als sechsundsiebzig. Kein Wunder, nach allem, was sie durchgemacht hatte in den letzten Jahren. Aber sie wirkte zufrieden. Ein bißchen störrisch. Ein grauer Maulesel. Mit den schreiend bunten Strandkleidern sah sie aus wie eine exzentrische Amerikanerin. Das würde Eugen gefallen, dachte Nelly, ihm gefällt alles, was amerikanisch ist. Das ist so in seinem Alter.

Nelly lächelte. Eugen war wirklich noch ein Kind. Sie hatte ihn nur eingeladen, damit Irma nicht allein zurückblieb, wenn ihr irgend etwas passierte. Nelly hatte von Anfang an gewußt, daß sie von dieser Reise nicht zurückkehren würde. Von der Putzfraueninsel. Irma liebte Eugen. Nelly konnte es hören.

Tag und Nacht.

Entschlossen setzte sie sich einen breitkrempigen Strohhut auf den Kopf und schob ihren langen, grauen Zopf darunter. Der Hut war blumengeschmückt. Sie hatte ihn im Souvenirshop in der Hotelhalle erstanden. Dann setzte sie eine Sonnenbrille auf die Nase. Sie winkte ihrem Spiegelbild zu.

Kein Mensch begegnete ihr im Lift oder in der Hotelhalle.

Nelly trat vor die Türe. Der Morgen war erstaunlich mild. Die Luft war weich. Nelly ging zum Swimmingpool hinunter. Von staubigen Büschen umrahmt, lag er dampfend in der aufgehenden Sonne. Die Liegestühle waren ordentlich zusammengeschoben. Am Rand des Swimmingpools stapelten sich die Luftmatratzen, die die Hotelleitung in der Weihnachtszeit verteilte: grünrote Luftmatratzen in der Form eines Weihnachtsbaumes. Nelly sah zum Hotelkasten hinauf.

Er war nicht voll belegt, und sie konnte nicht sagen, daß sie interessante Menschen kennengelernt hätten. Rotgesichtige, nörgelnde alte Leute. Da es abends kühl wurde, aß man im Speisesaal. Aber niemand zog sich mehr um zum Essen. Irma und Eugen kamen selten schon zum Aperitif aus ihrem Zimmer. Sie aßen hastig, und selbst wenn sie nachher noch eine Weile sitzen blieben oder mit Nelly in die Bar gingen, waren sie doch nicht richtig da. Ihre Gesichter glühten vor Stolz und Verlegenheit. Und immer kam bald der Moment, in dem sie sich zurückzogen.

Nelly zog langsam ihre Sachen aus, Frotteemantel, Strohhut, Sonnenbrille, Gummisandalen, und legte alles ordentlich auf einen Liegestuhl. Sie hob eine Luftmatratze vom Stapel und legte sie in den Swimmingpool. Vorsichtig ließ sie sich darauf sinken. Sie lag auf dem Rücken, die Hände in das warme Wasser getaucht, und blickte nach oben. Der Himmel veränderte seine Farbe. Blasse Schlieren zogen vorüber. Nelly paddelte träge mit den Händen. Sie war müde.

Die Putzfraueninsel, dachte Nelly. Sie ist wirklich nicht das, was ich mir vorgestellt habe.

Die Luftmatratze trieb in die Mitte des Pools. Nelly schloß die Augen und starb.

Eins

Irma fand Nelly an einem Montag.

Irma wachte um 6 Uhr dreißig auf und wußte, daß es wieder Montag war. Nur am Montag und am Freitag, wenn sie das Haus der Familie Schwarz putzte, mußte sie so früh aufstehen. Die Wohnung war noch kalt. Sie konnte sich nicht erinnern, ob sie am Abend noch geduscht hatte. Mißtrauisch schnüffelte sie an ihren Achselhöhlen. Sie hatte in Unterhemd und Wollsocken geschlafen. Gähnend zog sie einen langen Pullover und enge schwarze Hosen darüber, schlüpfte in ihre schweren Stiefel und trampelte die Stufen zur Küche hinunter. Ihre Wohnung teilte sich in zwei Ebenen: unten Küche und Wohnraum, oben eine schmale Galerie mit Bett und Badezimmer.

Noch auf der Treppe fiel ihr ein, daß sie vergessen hatte, Kaffee zu kaufen. Sie fluchte leise und blieb auf der untersten Stufe stehen.

Die Wohnung war ungewohnt sauber. Irma blickte sich um. Die Wohnung glänzte im Morgenlicht, als sei sie nie bewohnt worden. Frische, kalte Luft füllte den Raum. Das große Fenster stand halb offen. Es war eine moderne Stadtrandwohnung, eine hübsche Wohnung, luftig und hell. Sie gehörte einem Linienpiloten, der für unbestimmte Zeit verreist war. Irma hatte früher für ihn geputzt. Sie hatte die Wohnung mitsamt den Möbeln übernommen. Den größten Teil davon hatte sie eingestellt. Unten befanden sich Küche und Wohnraum, mit Eßtisch, Klappsofa und Fernsehapparat nur notdürftig möbliert. Eine Treppe führte auf die Galerie, wo im Schlafzimmer eine Matratze direkt am Boden lag, eine schmale, muffige, durchgelegene Matratze.

Matratze.

Jetzt erinnerte sie sich wieder an alles. Auch daran, daß sie vor dem Schlafengehen noch geduscht hatte. Sie trank im Stehen einen Schluck Milch aus der offenen Packung, schob einen Kaugummi in den Mund und schloß das Fenster. Im Gehen schlüpfte sie in ihren alten, abgewetzten, halblangen Ledermantel.

Der Bus wartete schon an der Haltestelle. Sie ließ sich auf einen freien Platz am Fenster sinken, um diese Zeit fand sie immer einen Sitzplatz, das war der Vorteil, wenn man am Stadtrand wohnte, an der Endstation des Busses. Sie rieb mit der Hand ein Loch in die beschlagene Scheibe und blickte hinaus. Am anderen Ende der Stadt wartete das Haus der Familie Schwarz auf sie. Ein altes, sanft renoviertes und geschmackvoll eingerichtetes Haus. Ein wahrer Alptraum für eine Putzfrau. Spiegelglatte Flächen, kleine geschnitzte Statuen, die man mit einem Pinsel abstauben mußte, raumhohe Büchergestelle mit Stützen aus Chromstahl, auf denen man jeden Fingerabdruck sah, alte, unbehandelte Parkettböden, die gebohnert werden mußten. Das Haus beanspruchte sie zwei ganze Tage in der Woche. Sie haßte es. Aber auf diesem Haus basierten ihre ganzen Überlebensberechnungen.

Irma haßte auch Frau Doktor Schwarz. Die Hausherrin. Sie bewunderte sie, sie fürchtete sich vor ihr, sie beneidete sie. Irma dachte viel zu oft über Frau Doktor Schwarz nach. Sie war wie besessen von ihr, von ihrem Leben. Frau Doktor Schwarz war ohne Riß und Falten. Wie aus dem Fernsehen. Sie funktionierte wie ferngesteuert. Sie war perfekt. Es war nichts Menschliches mehr an ihr.

Frau Doktor Schwarz war nicht nur eine bekannte und

erfolgreiche Rechtsanwältin, Hausfrau und Mutter, sondern seit kurzem auch eine hoffnungsvolle Politikerin. Obwohl sie mit ihrer Arbeit in der Kanzlei, der politischen Tätigkeit und der Führung einer kostenlosen Rechtsauskunftsstelle für Ausländerfrauen vollauf beschäftigt war, ließ sie es sich nicht nehmen, mittags nach Hause zu kommen und ihre halbwüchsigen Söhne und Töchter zu verpflegen, die allesamt das Gymnasium besuchten und wegen ihrer glatten, glänzenden Haare und unauffälligen, aber teuren Kleider beliebt waren. Frau Doktor Schwarz (nichts ging ihr mehr auf die Nerven, als mit ihrem vollen Titel angesprochen zu werden; Irma wußte das und vergaß es nie) hatte neben Karriere, Politik und sozialem Engagement vier Kinder aufgezogen, und kein einziges von ihnen war drogensüchtig oder unverschämt geworden.

Es gab auch noch einen Herrn Doktor Schwarz, der, etwas weniger glamourös, an einer Mädchenschule am Stadtrand Mathematik unterrichtete. Manchmal sah sie ihn abends nach Hause kommen, ein sanfter, seltsam altmodisch wirkender Mann, der es nie versäumte, seine Frau zu küssen. Wenn Irma dann das Haus verließ, fühlte sie das warme Licht im Rücken wie einen Stoß, der sie auf die Straße taumeln ließ. Sie stellte sich vor, wie Frau Doktor Schwarz mit ihrem Mann auf dem Sofa saß, an einem Drink nippte und geistreich plauderte, während im Ofen eine Lammkeule schmorte und die Kinder sich sinnvollen und geräuscharmen Tätigkeiten hingaben.

Dieses Haus brachte sie aus der Fassung. Diese Familie brachte sie aus der Fassung. So geschah es oft, daß sie am Sonntag den Kopf verlor. So wie gestern.

Sie hatte gerade einen Blick in den Briefkasten geworfen. Dann war ihr eingefallen, daß am Sonntag keine Post kam. Sie ging die Treppe wieder hoch in den ersten Stock, sie trug immer noch ihren Pyjama. Sie öffnete die Wohnungstür. Muffiger Geruch schlug ihr entgegen. Gnadenlos beleuchtete die nackte Glühbirne den Raum.

Wie kann man nur so leben, dachte sie, die Hand am Lichtschalter, als wollte sie gleich wieder löschen, den Raum in gnädiges Dunkel tauchen.

Das Bett war ungemacht. Seit Wochen. Über den Badezimmerspiegel zogen sich Zahnpastaspuren bis ins Waschbecken, in der Badewanne lagen abrasierte Haare von Irmas Beinen und verstopften den Abfluß. Irma ging in die Küche.

Schmierige, leere Verpackungen von Tiefkühl- und Fertigmahlzeiten stapelten sich auf dem Tisch, verklebte Aluminiumteller, schmutzige Schachteln, fettige Papiere, Pappbecher, Bierbüchsen. Im Wohnzimmer lagen ihre Kleider auf dem Boden, alte Zeitungen, Wäsche. Auf dem glänzenden Parkett sammelte sich der Staub in luftigen Flocken. Irma hob eine Chipstüte auf, sah, daß sie leer war, und ließ sie wieder fallen.

Sie warf einen Blick auf die Uhr. Wenn sie sich beeilte, würde sie es gerade noch schaffen. Der Supermarkt war sonntags bis zwölf geöffnet. Das war das beste am Stadtrand: der Supermarkt, der auch sonntags geöffnet war. Sie zog ihren Ledermantel direkt über den Pyjama, wickelte sich ein Tuch um den Hals und schlüpfte in ihre Stiefel. Mit beiden Händen hielt sie den schweren Einkaufswagen, stemmte sich dagegen und schob ihn langsam die Regale entlang. Aus den Lautsprechern säuselte eine leise Mischung süßlicher Liebeslieder. Irma fühlte sich einsam und elend. Es war die Art von Stimmung, in der sie dem Erbrechen ebenso nahe war wie dem Weinen und gegen die es nicht viel zu tun gab. Mit mechanischen Gesten und ohne richtig hinzusehen, lud sie zwei Tiefkühlpizzas, eine Familienpackung Karameleis, knisternde Schachteln mit schokoladeüberzogenen Süßigkeiten, eine Flasche Ramazotti, bittersüß zum Weinen, und drei Taschenbücher mit romantischen Titeln ein.

Die Rache einer Frau.

Opfer der Liebe.

Einmal wird die Sonne wieder scheinen.

Nicht für mich, dachte Irma.

Erst als sie in der langen Schlange vor der Kasse stand und beiläufig die Schulterlinie vor ihr musterte, kam sie zur Besinnung.

Was tue ich da, fragte sie sich.

Es war Sonntag. Der halbe Tag schon vorüber, und morgen mußte sie wieder durch die ganze Stadt fahren, um das Haus der Familie Schwarz zu putzen.

Mutwillig stieß sie ihren Wagen in die Kniekehlen vor ihr.

Er drehte sich langsam um, ein nicht mehr ganz junger, etwas dicklicher Mann, blaß, unrasiert, verschwommene Augen unter blondgesträhntem Haar.

Entschuldigung, rief Irma, das wollte ich wirklich nicht.

Schon gut.

Er drehte sich wieder um und bezahlte seine Einkäufe. Drei Dosen Thon und sechs Flaschen Bier. Er bezahlte mit Kleingeld, das er umständlich aus der Hosentasche fischte. Während er seine Flaschen und Dosen in eine dünne Plastiktasche packte, schweifte sein Blick über ihre Einkäufe, die auf dem Rollband lagen. Er hob die Augenbrauen. Dann drehte er sich um und ging zum Ausgang. Täuschte sie sich, oder ging er besonders langsam? Irmas Blick folgte dem Mann, während die Kassierin ungerührt ihre absurden Einkäufe eintippte. Er trug enge schwarze Hosen, eine Lederjacke und ein rotes Tuch um den Hals. Das Tuch war neu, die Enden ragten steif über den Kragen der Jacke. Immer wieder fuhr er mit der Hand über die halblangen blonden Haare. Er fühlte sich beobachtet. Er wurde beobachtet. Die klobigen Motorradstiefel verliehen seinem Gang etwas Schwankendes, Unbeholfenes. Als gerieten ihm die Schritte größer, als er eigentlich gewollt hatte. Sein Gang war es, der sie bewegte. Sie lächelte, bezahlte, stopfte ihre Sachen wahllos in eine Tüte und folgte ihm, so schnell sie konnte, ohne gleich in Laufschritt zu verfallen. An der Drehtüre holte sie ihn ein. Sie hätte schwören können, er habe seinen Schritt unmerklich verlangsamt, einen Augenblick lang gezögert, beinahe auf sie gewartet. Zielstrebig ging sie weiter, an ihm vorbei durch die Drehtüre, sie warf sich zwischen die Flügel, stolperte und riß ihn im Fallen zu Boden.

Da lagen sie, ineinander verkeilt, in der Drehtüre gefangen. Auf beiden Seiten blieben Leute stehen. Nicht besonders originell, dachte sie, aber wirkungsvoll.

Es dauerte nur einen Augenblick. Zwei magere Verkäuferinnen in hellblauen Kitteln versuchten, die Drehtüre wieder in Schwung zu bringen. Etwas unsicher standen sie auf und klopften ihre Kleider ab. Sie traten ins Freie, preßten ihre Einkaufstüten an sich und blinzelten ins Tageslicht.

Irma warf einen Blick in ihre Einkaufstüte.

Oh, sagte sie, das gehört wohl Ihnen? Sie reichte ihm eine Dose Thon.

Er nahm sie wortlos an sich. Verwirrt starrte er auf die Konservendose in seiner Hand.

Kurzsichtig, dachte sie. Zu eitel, um eine Brille zu tragen. Was von ihrem Herzen übrig war, schmolz dahin.

Langsam faßte er sich.

Danke, sagt er betont förmlich, nickte ihr zu, drehte sich um und ging quer über den Parkplatz. Irma schüttelte irritiert den Kopf, zögerte aber nicht lange, sondern lief ihm nach bis zu seinem Motorrad.

Sie liebte Motorräder, obwohl sie kaum das vordere Ende vom hinteren unterscheiden konnte. Sie liebte es, ihre Arme um einen harten Körper zu schlingen, den Kopf an einen lederbezogenen Rücken zu lehnen und mit tränenden Augen in den Fahrtwind zu blinzeln. Alles, was sie je von Freiheit und Abenteuer gehört hatte, überfiel sie dabei, und sie hätte aus vollem Hals singen mögen.

Er brachte sie nach Hause. Der Wind fuhr eisig in ihre Pyjamahose.

Trinkst du noch einen Kaffee, fragte sie halbherzig.

Ja, gern, sagte er, ebensowenig überzeugt.

Irma schraubte die Espressomaschine auseinander und spülte sie aus. Sie nahm die Tüte mit dem Kaffee aus der Einkaufstasche. Unter dem glatten Papier fühlte sie die harten Bohnen.

Nicht gemahlen.

Das macht nichts, sagte er, ich trinke eigentlich sowieso lieber Tee.

Ich habe keinen Tee, sagte Irma.

Sie setzten sich auf das schmuddlige Sofa. Sie aßen die Tiefkühlgerichte vor dem Fernseher. Sie wechselten keine drei Worte. Hin und wieder grinsten sie einverständig, blinzelten sich zu, wischten sich gegenseitig Käsereste aus dem Gesicht. Sie lachten an denselben Stellen. Das war schon etwas. Sie sahen sich zwei Videofilme in voller Länge und eine amerikanische Serie an. Dann begannen ihre Augen zu brennen. Irma stand auf und schaltete den Fernseher aus. Als das monotone Summen verstummte, war es ganz still.

Er räusperte sich.

Du bist nicht aus der Stadt, oder?

Nein.

Und, was machst du so, fragte er.

Ich studiere, antwortete Irma, ohne zu zögern. Psychologie.

Ehrlich?

Er setzte sich auf.

Ich auch, rief er. In welchem Semester bist du denn? Bei wem . . .

Irma nahm seine Schultern und drückte ihn sanft gegen das Sofa zurück. Er verstummte. Nach einem kaum merklichen Zögern ging er darauf ein. Irma fiel plötzlich ein, daß sie die Zähne nicht geputzt hatte. Sie drehte den Kopf zur Seite. Ihr linkes Bein lag auf der Rückenlehne. Ihre Hüfte verkrampfte sich. Sie schloß die Augen und bewegte sich langsam. Hin und her.

Sie verabschiedeten sich, ohne sich geküßt zu haben.

Ich ruf dich an, sagte er.

Irma nickte.

Sie hatte kein Telefon.

Irma öffnete das Fenster. Es war dunkel. Irma war hellwach. Sie konnte jetzt nicht schlafen. Obwohl sie wußte, daß sie morgen früh aufstehen mußte, um rechtzeitig bei Frau Doktor Schwarz zu sein.

Sie fing an, die Wohnung aufzuräumen und zu putzen. Sie drehte das Radio auf und schenkte sich ein Glas Ramazotti ein, aus dem sie immer wieder einen Schluck nahm. Putzen konnte sie. Das war ihr Beruf.

Nicht, daß sie besonders gerne putzte. Aber es war eine

einfache Arbeit, die keine Diplome erforderte und gut bezahlt wurde. Sie konnte sich, meist allein, in fremden Wohnungen aufhalten und so tun, als wäre sie jemand anders. Sie lebte mit ihren Kunden mit. Sie las ihre Briefe, probierte ihre Kleider an und trank ihren Wein aus dem Kühlschrank. Sie stand ihnen näher, als ihnen wohl bewußt war. Sie wußte alles, was es zu wissen gab. Sie wußte zum Beispiel, daß Frau G. nachts den Kühlschrank leer aß und daß sie sich hinterher den Finger in den Hals steckte, denn sie war es schließlich, die die Toilette putzen mußte. Sie hatte als erste bemerkt, daß die Söhne S. in die Pubertät gekommen waren, denn sie wechselte die fleckigen Leintücher. Wenn sie einen Papierkorb leerte, dann tat sie es gründlich: jedes zerknüllte Stück Papier strich sie glatt und las es durch. So wußte sie über unbezahlte Rechnungen, beendete Affären, sogar heimliche Laster Bescheid. Herr Schwarz zum Beispiel hatte angefangen zu trinken. Die blauen Aluminiumhüllen der Alkaseltzer-Brausetabletten im Papierkorb in der Bibliothek . . .

Nach zwei Stunden war die Ramazottiflasche halb leer, und die Wohnung sah so aus, wie sie aussehen mußte, hell, sauber und unbewohnt. Wie ein Hotelzimmer. Überhaupt wäre Irma, wenn sie mehr Geld gehabt hätte, nach der Sache mit Erich in ein Hotel gezogen. Im Hotelzimmer leben, das würde ihr gefallen, in einem altmodischen, großen Hotel, wo ihr das Frühstück von jungen Zimmerkellnern ans Bett gebracht wurde, die beim Anblick ihrer nackten Schultern erröteten.

Sie nahm eine heiße Dusche und zog dann ein frisches Unterhemd an. Ihre Pyjamas waren alle in der Wäsche.

Trotz allem war es noch nicht elf, als sie im Bett lag, in frischer, gebügelter Bettwäsche, die nach Hotelzimmer duftete. Ihr Gesicht war mit einer dicken Schicht Nachtcreme bedeckt, die langsam in ihre Augen rann. In ihrem Bauch pochte es nur noch leicht. Morgen früh würde sie ein neues Leben beginnen, in einer aufgeräumten Wohnung, mit zarter Haut und kaum verkatert.

Morgen war Montag! Morgen konnte sie kein neues Leben beginnen. Vielleicht übermorgen. Irma schlief ein. Im Traum saß sie auf einem Baum und versuchte, mit einem Papagei zu sprechen.

Irma zählte die Haltestellen und sah auf die Uhr. Heute würde sie pünktlich sein. Frau Doktor Schwarz legte Wert auf Pünktlichkeit. Und neben all ihren anderen Verpflichtungen fand sie immer noch Zeit, Irmas Arbeit zu kontrollieren. Bei ihr wurde in erster Linie geputzt.

Und gut bezahlt, dachte Irma, als sie mit wachsendem Widerwillen die Haltestelle nahen sah und sich zum Aussteigen bereit machte. Nein, sie konnte nicht darauf verzichten. Noch nicht. Frau Doktor Schwarz erwartete sie in der Tür, bereit zu gehen.

Sie kommen spät heute, rief sie, ein bißchen ungeduldig und gezwungen fröhlich.

Irma blickte auf ihre Uhr und zog die Brauen hoch.

Es ist genau acht Uhr, antwortete sie kühl.

Schon gut, schon gut! Frau Doktor Schwarz winkte ab. Ich habe keine Zeit! Der Zettel liegt auf dem Tisch! Kommt, Kinder!

Vier dunkelhaarige Jugendliche kletterten der Größe nach in den Geländewagen.

Der Zettel liegt auf dem Tisch, wiederholte Irma für sich. Wunderbar.

Die meisten ihrer Kunden verkehrten so mit ihr: Der Zettel liegt auf dem Tisch. Nur gut, daß sie darauf nicht angewiesen war.

FRAU ZWEIFEL, BITTE HEUTE
  – FENSTER PUTZEN (ERDGESCHOSS)
  – KÜCHE
  – KÜHLSCHRANK AUSWASCHEN
  MITTAGESSEN AUSNAHMSWEISE SCHON UM 12.30
  S.

Frau Doktor Schwarz unterzeichnete grundsätzlich nur
mit S. S. für Schwarz. Irma wußte nicht einmal, ob sie
überhaupt einen Vornamen hatte und wenn ja, welchen.

Irma zog ihren Mantel aus, hängte ihn ordentlich im
Wandschrank auf und ging in die Küche. Zuerst einen
Kaffee! Auf dem glänzenden Bistrotisch stand ein Korb
mit verschiedenen Brotsorten, ein Mixerglas mit frischge-
preßtem Orangensaft und ein Strauß weißer und gelber
Astern. Das Fensterkreuz warf einen Schatten auf die dunkelroten Fliesen. Es war alles genau so, wie es sein sollte.

Irma setzte sich und streckte die Beine aus. Sie aß ein
paar Brötchen mit Käse, trank ein großes Glas Orangensaft und griff nach der Tageszeitung. Der Kaffee war noch
heiß und stark. Konzentriert las sie die Seite mit den Le-
serbriefen und die persönlichen Anzeigen. Danach räumte
sie schnell die Küche auf. Das Auswaschen des Kühl-
schranks empfand sie als überflüssig. Irma spritzte ein
wenig Putzessig in den Kühlschrank und räumte die Butter
ins Käsefach und die Milch zu den Mineralwasser-
flaschen. «Wo gearbeitet wird, werden Fehler gemacht!»
Mit diesem Satz hatte Frau Doktor Schwarz schon man-
ches zerbrochene Glas kommentiert. Der Satz galt auch
umgekehrt, und seit Irma das begriffen hatte, beschränkte
sie sich darauf, Fehler zu machen.

Ganz zum Schluß nahm sie den Fliesenboden feucht
auf. Zweimal hintereinander. Sie achtete darauf, nicht zu

viel Putzmittel zu verwenden. Diese dunkelroten Fliesen liebte sie. Sie hätte sie eine nach der anderen herausbrechen und nach Hause tragen können.

Das alles dauerte knapp eine Stunde. Sie würde erst einmal eine Pause einlegen. Mit dem Fensterputzen würde sie später beginnen. Frau Doktor Schwarz sollte sie beim Nachhausekommen mitten in der Arbeit antreffen, alle Fenster weit aufgerissen, das Eßzimmer eiskalt.

Langsam ging Irma die Treppe hinauf in den ersten Stock, wo sich die Kinderzimmer befanden. Im Hause Schwarz gab es wenig Geheimnisse. Das Tagebuch der jüngsten Tochter Edith war eines davon.

Das andere war die verschlossene Türe im Keller. Irma war ganz zufällig darauf gestoßen, als sie etwas aus dem Putzmittelschrank brauchte. Normalerweise kümmerte sich Frau Doktor Schwarz darum, aber an diesem Nachmittag war sie zufällig nicht dagewesen. Irma war in den Keller gegangen und hatte alle Türen geöffnet: Waschküche, Bastelraum, Weinkeller. Unter dem Bogen der Kellertreppe befand sich eine niedrige Tür, hinter der sie den Putzmittelschrank vermutet hatte. Die Türe war fest verschlossen und mit einem Vorhängeschloß an einer Kette gesichert. Irma hatte versucht, das Schloß zu öffnen. Sie hatte an der Türfalle gerüttelt. Sie hatte geglaubt, ein leises Keuchen zu hören, und hatte leise Hallo! gerufen. Dann war sie einen Schritt zurückgetreten und hatte gesehen, daß der Raum unter der Treppe nicht viel größer sein konnte als ein niedriger Schrank, ein Verschlag, kaum Platz genug für einen Hund.

Natürlich hatte sie Frau Doktor Schwarz nach der Türe gefragt.

Im Keller haben Sie nichts zu suchen, das wissen Sie,

hatte sie scharf geantwortet, so scharf, daß die S zwischen ihren Zähnen zischten. Irma hatte unwillkürlich den Kopf eingezogen.

Ich wollte nur eine Flasche Pourtout holen!

Wenn Sie etwas brauchen, fragen Sie mich! Ende!

Das hatte sie tatsächlich gesagt: Ende. Als ob sie in ein Funkgerät spräche.

Irma erwähnte die Türe nie wieder. Aber manchmal, wenn sie sich unbeobachtet wußte, schlich sie nach unten, ohne Licht zu machen, stand gebückt und mit klopfendem Herzen vor der Türe und lauschte den keuchenden Atemzügen, die auch ihre eigenen sein konnten. Einmal hatte sie auch von der Türe geträumt, sie hatte geträumt, in dem Verschlag lebte ein altes Krokodil, und Frau Doktor Schwarz kam in der Nacht, um es herauszulassen. Sie legte es an eine schwere Kette und spazierte mit ihm durchs Haus. Die schwerfälligen Füße des Krokodils scharrten über den Holzboden. Sie bewegten sich langsam. Die Treppe hinauf mußte sie das Krokodil halb schleppen, halb tragen. Leise gingen sie in eines der Kinderzimmer, das Krokodil beugte sich über das Bett und bleckte seine gelben Zähne und keuchte seinen fauligen Atem über das Gesicht des schlafenden Kindes. Das Kind begann im Schlaf zu stöhnen und sich herumzuwerfen, Frau Schwarz nickte streng und schleifte das Krokodil weiter, in das Zimmer, in dem ihr Mann schlief . . . Nach diesem Traum ging Irma nicht mehr so oft in den Keller.

Also das Tagebuch. Die Türen der Kinderzimmer im ersten Stock standen vertrauensvoll einen Spalt weit offen. Die Türpfosten waren angeschrieben: Hannes, Christian, Sybille und Edith. Die vier kleinen Zimmer waren sonst auch kaum zu unterscheiden, beinahe identisch eingerichtet, nur in anderen Farben und sorgfältig aufgeräumt. Es lohnte sich kaum, den Staubsauger die Treppe hinaufzuschleppen. Das Tagebuch von Edith lag unter dem Kopfkissen – ein rührendes Versteck. Edith war die Jüngste und ungefähr dreizehn Jahre alt. Das Tagebuch war abgeschlossen. Irma öffnete das Schloß mit einer aufgebogenen Büroklammer, setzte sich auf das bereits gemachte, faltenfreie Bett und begann zu lesen.

23. 11. Heute wäre Mama beinah durchgestartet. Sie hat nichts gesagt, aber ich konnte direkt HÖREN, wie sie mit den Zähnen KNIRSCHTE! Es wird auch immer schlimmer mit Oma. Ich hätte sie gerne wieder einmal besucht, aber Mama verbietet es. Es scheint, daß sie auch nicht mehr ganz DA ist. Schade!!!!!

24. 11. Ich darf nicht zulassen, daß Isabelle weiterhin bessere Noten für ihre Aufsätze kriegt als ich. Sie schreibt natürlich nicht besser, aber ihr Stil liegt dem Lehrer einfach mehr. Dabei hat sie keine Ahnung von Literatur! Es interessiert sie nicht einmal!!! Das nächste Mal bereite ich mich so GRÜNDLICH vor, daß er gar nicht anders kann, als mir die beste Note zu geben. Ich muß mir etwas einfallen lassen. Christian ist zum Schulsprecher gewählt worden.

25. 11. Den ganzen Nachmittag vorbereitet. Textstellen herausgestrichen etc. Papa hat mir dabei geholfen, er war zufällig einmal da. Er sah MÜDE aus. Ich glaube, die Sache mit Oma nimmt ihn ganz schön mit. Zufällig habe ich erfahren, daß Isabelle heute im KINO war. Mit Paul und Eddy!!! Morgen wird sie das bereuen.

26. 11. Jemand liest heimlich mein Tagebuch!!!
Und ich glaube, ich weiß auch, wer. Ich werde es mit einem Haar sichern. Wenn es heute mittag nicht mehr dran ist, sind Sie ERTAPPT, Frau Zweifel!!!!

Irma ließ das Tagebuch fallen, als ob sie sich daran verbrannt hätte. Diese Göre, diese verdammte Göre! Das durfte doch einfach nicht wahr sein! Sie, die seit Jahren nichts anderes tat, als fremde Geheimnisse auszuschnüffeln, war auf den ältesten Trick überhaupt hereingefallen.

Na warte, dachte sie, nicht mit mir.

Sie hob das Tagebuch auf und untersuchte es gründlich. Tatsächlich sah man neben dem Schloß eine winzige Leimspur. Irma ließ das Schloß einschnappen, riß ein Haar von ihrem eigenen Kopf und legte es quer über das Schloß. Mit ein bißchen Spucke haftete es ganz ausgezeichnet. Leim war dabei völlig überflüssig. Aber immerhin hatte es ihr geholfen, die richtige Stelle zu finden. Das Haar war in der Farbe richtig, nämlich dunkelbraun, fast schwarz, wenn sie nicht gerade eines der vereinzelten grauen erwischt hatte. Die Länge stimmte natürlich nicht, von Sauberkeit und Glanz ganz zu schweigen. Mißtrauisch beugte sie sich über das Tagebuch, nein, Rauchgeruch war an einem einzelnen Haar nicht festzustellen.

Als die Familie kurz nach zwölf zurückkam, stand sie auf einem Schemel im Eßzimmer und putzte das Fenster. Auf dem Boden häufte sich zusammengeknülltes Zeitungspapier. Bei Frau Schwarz putzte man ökologisch: Putzsprit und alte Zeitungen. Das dauerte länger und war anstrengender. Zur Strafe ließ Irma alle Fenster weit offenstehen und die Zeitungsknäuel über den Teppich rollen. Zum Erdgeschoß gehörte auch ein Wintergarten mit wunderschönen Traubenranken aus farbigem Glas und ungezählten Fensterteilen, die sich noch nicht einmal alle öffnen ließen.

Sie entwickelte eine richtige Wut auf diese Scheiben, auf die schmalen Einfassungen, auf die Schlieren, die sich in der kalten Luft noch schneller bildeten. Rieb wie eine Besessene über die Fensterscheiben, bis ihre Handgelenke schmerzten, es war ein Wunder, daß sie das Glas dabei nicht eindrückte. Der ganze Zorn der letzten beiden Jahre richtete sich gegen die Scheiben, und so traf Frau Doktor Schwarz sie für einmal im Schweiße ehrlicher Arbeit an. Das schien sie weiter nicht zu beeindrucken.

Es ist gleich halb eins, sagte sie kühl.

Irma ließ das zusammengeknüllte Zeitungspapier fallen und fuhr sich mit dem Handrücken über die Stirn.

Oh, sagte sie knapp, ich komme sofort.

Irma fürchtete sich vor Frau Doktor Schwarz, aber sie hütete sich, ihr das zu zeigen. So war sie manchmal vor lauter Angst schon unverschämt. Frau Doktor Schwarz drehte sich abrupt um und ging in die Küche.

Pünktlich um eins, an diesem Tag ausnahmsweise schon um halb eins, hatte das Essen auf dem Tisch zu stehen, das Frau Schwarz am Vortag oder am frühen Morgen vorbereitet hatte. Irmas Aufgabe war es, das Essen anzurichten und den Tisch zu decken. Als sie in die Küche kam, hatte Frau Schwarz die Schüsseln schon aus dem Kühlschrank genommen und machte sie für die Mikrowelle bereit. Irma nahm Teller und Besteck aus dem Schrank.

Bitte achten Sie darauf, wenn Sie das nächste Mal den Kühlschrank auswaschen, daß Sie die Sachen wieder richtig einräumen. Es ist durchaus ein System dahinter, sagte Frau Schwarz, immer noch verärgert. Irma drehte sich um, um ein Grinsen an der Schulter abzuwischen.

Das Essen war absolut vollwertig und auch schmackhaft, das beste Essen, das Irma während der ganzen Woche zu sich nahm, aber die Spannung, die in ihr wuchs, während sie die Familie beobachtete, schlug ihr auf den Magen.

Herr Schwarz stocherte in seinem Essen. Er trug einen dreiteiligen braunen Anzug mit einem seidenen Einstecktuch. Es war ein seltsamer Anzug: die Jacke war doppelreihig geknöpft, der Kragen ausladend, die Hosenbeine waren kurz und hatten breite Aufschläge. Herr Schwarz trug auch handgenähte Schuhe mit gelöchelter Kappe. Die grauen Haare hatte er mit viel Brillantine an den Kopf geklebt, zart duftender, altmodischer Brillantine. Er zog sich genauso an wie die Helden in Schwarzweißfilmen. Aber er war kein Held. Er wirkte sanft und immer ein bißchen verwirrt. Er schien unter einer geheimnisvollen Zeitverschiebung zu leiden. Während des Essens sagte er kein Wort.

Frau Schwarz dirigierte das Gespräch. Der Reihe nach gaben die Kinder Auskunft über ihren Tag, die Mutter hörte aufmerksam zu, verteilte, wo gewünscht, praktische Ratschläge und wandte sich dann fürsorglich Irma zu.

Zufällig habe ich gerade die Ausschreibungen gesehen, sagte sie freundlich zu Irma. Die Prüfungen sind in wenigen Monaten, Sie könnten es durchaus schaffen. Ich habe die Formulare mitgebracht, ganz unverbindlich.

Danke, sagte Irma trocken, ich werde es mir überlegen.

Frau Schwarz wollte sie dazu bewegen, den Schulabschluß nachzuholen und eventuell sogar zu studieren. Irma hütete sich zuzugeben, daß sie in ihrer Heimatstadt einen brillanten Schulabschluß und ein nicht weniger brillantes Studium geschafft hatte, dem nur die Sache mit Erich ein vorzeitiges Ende bereitet hatte.

Sie log nicht, wenn sie behauptete, sie habe keinen anderen Ehrgeiz, als Putzfrau zu sein. Sie übertrieb nur ein bißchen. Und sie verschwieg die Tatsache, daß sie Angst hatte. Angst, in einem anderen Beruf nicht mehr zu bestehen. Es gab allerdings keinen Grund, anzunehmen, daß sie das je wieder mußte.

Während des ganzen Essens hatte sich Ediths Blick auf ihr Gesicht geheftet. Die Kleine hatte offenbar noch keine Gelegenheit gehabt, in ihr Zimmer zu laufen und das Tagebuch zu kontrollieren. Irma hob jetzt langsam den Kopf, begegnete scheinbar ungerührt dem Blick des Mädchens und kniff dann unmerklich ein Auge zu.

Edith errötete und senkte den Blick auf den Teller. Irma verschluckte ein Lächeln. Wenn die Göre nicht so gut erzogen wäre, würde sie jetzt unter dem Tisch an ihr Schienbein treten.

Irma begann zu träumen. Was hatte das Mädchen geschrieben? Oma ... Mama wäre beinahe durchgestartet ... Irma stellte sich vor, wie Frau Schwarz aussah, wenn sie durchstartete. An jenem Tag würde sie gerne dabeisein.

Oma ... Was war das wohl für eine Oma, die Frau Doktor Schwarz zum Zähneknirschen und beinahe zum Durchstarten brachte? Sie sah die Familie abends beisammen sitzen, die kleine Edith kopierte Formulierungen von anerkannten Schriftstellern in ihre Handfläche, um sie in einem Aufsatz zu verwenden, Herr Schwarz versuchte unauffällig, sich einen zweiten Drink einzuschenken, und sie, Frau Doktor Schwarz, telefonierte mit dem Leiter eines Altersheims und knirschte mit den Zähnen ...

Irma zuckte zusammen, als eine Frage an sie gerichtet wurde, blickte auf, lächelte und gab die einzig mögliche Antwort:

Oh, sagte sie, ich weiß nicht so recht ...

Die Frage dazu hatte sie nicht verstanden. Sie fühlte den Blick von Herrn Schwarz auf sich ruhen, die sanften, farblosen Augen seltsam verzerrt hinter den dicken Brillengläsern.

Frau Doktor Schwarz fuhr sich mit der Hand durch die kurzgeschnittenen, grauschwarzen Haare und wiederholte ihre Frage:

Wollen Sie nun die Karten oder nicht?

Aus Irmas verwirrtem Blick schloß sie nur, daß ihre Putzfrau nicht wußte, wie ein Theater von innen aussah und was einen da erwartete. Ihre Stimme wurde Grade wärmer, als sie sich ihrer sozialen Verantwortung bewußt wurde.

Es ist ein sehr unterhaltsames Stück, sagte sie freundlich, und gar nicht abstrakt. Es würde Ihnen sicher gefallen.

Irma spielte mit, senkte bescheiden den Kopf.

Meinen Sie?

O ja. Es sind zwei Karten, Sie könnten einen Freund mitnehmen . . .

Vielen Dank.

Irma räumte geschäftig ihren leeren Teller ab, begann, zwischen den Familienmitgliedern herumzurutschen, sie anzurempeln, ihnen die Teller vor der Nase wegzuziehen, bis sie endlich alle aufstanden, um sich die regelmäßigen, weißen Zähne zu putzen. Nur Herr Schwarz, dessen Zähne vorne nicht mehr echt waren, gelblich glänzten und ein bißchen vorstanden, trödelte noch einen Augenblick lang in der Küche herum. Er nahm eine Teedose in die Hand, drehte sie zwischen den Fingern und legte sie wieder hin. Dann ging auch er. Gesagt hatte er kein Wort, vielleicht war das auch gar nicht seine Absicht gewesen, vielleicht täuschte sich Irma auch, und der Blick hinter seinen Brillengläsern war nichts weiter als kurzsichtig und sanft.

Irma atmete auf, als alle zusammen das Haus verließen.

Ich habe Ihnen den Zettel hingelegt, rief Frau Schwarz über die Schulter, wir sehen uns heute wohl nicht mehr.

Wiedersehen! rief Irma über das Rauschen der Geschirrspülmaschine hinweg. Sie wartete, bis sie das Einschnappen der Haustüre hörte, und zählte dann langsam bis
hundert. Es konnte immer noch jemand zurückkommen.
Auf dem Tisch in der Diele lag der Zettel für den Nachmittag, den Frau Doktor Schwarz am Vorabend sauber
getippt hatte. Sie überließ nichts dem Zufall.

FRAU ZWEIFEL, BITTE HEUTE NACHMITTAG DIE OBEREN
ZIMMER GRÜNDLICH PUTZEN (OHNE FENSTER). DAS GELD
IST IM UMSCHLAG. ICH SEHE SIE WOHL NICHT MEHR. S.

Der Umschlag mit dem Geld lag gleich daneben. Irma
faltete ihn zusammen und schob ihn in die Hosentasche.
Irma lächelte. Natürlich würde sie sich hüten, früher zu
gehen. Egal, was Frau Schwarz schreiben mochte, sie war
noch nie um fünf Uhr nicht zu Hause gewesen. Sie kontrollierte Irmas Arbeit. Sie kontrollierte, ob sie nicht zu
früh nach Hause ginge.

Schon oft war sie ganz unverhofft wie ein kühler Luft-
stoß ins Haus gefegt, immer mit einer plausiblen Begrün-
dung, aber nicht ohne sie verstehen zu lassen: Ich
beobachte dich. Laß dich nicht gehen. Irma hatte mit der
Zeit nervöse Magenbeschwerden bekommen. Beim
Mittagessen keinen Bissen mehr heruntergebracht. Mehr
als einmal hatte sie sich am Nachmittag qualvoll gebückt
durch die Zimmer schleppen müssen, weil ihr ein Gericht
wie ein Stein im Magen lag. Einmal hatte sie sich sogar
hinlegen müssen, auf die lederbezogene englische Couch
in der Bibliothek, wo sie mit angezogenen Knien verzweifelt hin- und hergerollt war. Frau Doktor Schwarz hatte
sie gefunden und persönlich nach Hause gefahren. Rüh-
rend besorgt und sehr freundlich, ohne vom Gehalt die

zwei verpaßten Stunden abzuziehen, ja, sie hatte unterwegs noch angehalten, um einen Magentee zu besorgen. Trotzdem hatte es Irma unangenehm berührt, daß Frau Doktor Schwarz ihre Wohnung gesehen hatte.

Mit der Zeit hatte sie die Schmerzen immer öfter bekommen. Natürlich war sie nie beim Arzt gewesen, was sollte sie ihm sagen? Die Schmerzen hatte sie ursprünglich wegen Erich, dann wegen Frau Doktor Schwarz und dann wohl nur noch aus Gewohnheit. An diesem Tag aber fühlte sie sich in Höchstform. Sie machte sich frischen Kaffee, trank noch eine Tasse im Stehen und ging dann, pro forma mit ein paar frischgebügelten Staubtüchern bewaffnet, die Treppen hinauf in den obersten Stock. Das Schlafzimmer der Schwarzens war ganz weiß, ein kleiner Raum mit schrägen Wänden und luftigen weißen Vorhängen. In der Mitte stand ein nicht einmal besonders großes, weiß bezogenes Bett. Links und rechts neben dem Bett stapelten sich auf zierlich verschnörkelten, weiß gestrichenen Nachttischchen Bücher, Zeitschriften, Lesebrille, Wasserglas und Apfel. Irma las beiläufig die einzelnen Buchtitel. Frau Doktor Schwarz, das erstaunte sie nicht, las keine Romane. Nur Sachbücher, juristische Fachliteratur, Fachzeitschriften oder soziologische Titel. Herr Schwarz hingegen, und das erstaunte sie dann doch, las russische Romane. Ob hinter den dicken Brillengläsern die Seele eines jungen Mädchens lag?

Irma setzte sich auf das Bett, nahm das oberste Buch in die Hand und begann zu lesen. Es ging um einen Mann, der auf einem Diwan lag. Dabei trug er einen prächtigen Morgenmantel und bestickte Pantoffeln. Das Buch nahm sie gefangen, obwohl weiter nichts passierte und es ihr einigermaßen schwerfiel, sich die dreiteiligen russischen Namen zu merken. Als sie weiter und weiter und weiter

29

las, rutschte ein Photo aus den Dünndruckseiten und flatterte auf ihre Knie. Irma legte das Buch aufgeschlagen auf die Bettdecke. Vorsichtig nahm sie die Photographie in die Hand. Sie zeigte eine alte Dame unter einem Weihnachtsbaum. Irma erkannte den Sessel, in dem sie saß, er stand unten im Wohnzimmer. Irmas Herz klopfte. Das konnte nur Oma sein. Sie hob die Photographie näher an ihr Gesicht. Die Dame wirkte zart und zerbrechlich, sie trug ein hochgeschlossenes schwarzes Kleid, ein Medaillon lugte unter dem Kragen hervor. Ihr dichtes, weißgraues Haar war im Nacken lose zusammengesteckt. Die sanften Wellen um ihr Gesicht mußten seit Jahrzehnten immer gleich fallen. In den verschränkten Händen hielt sie den geschnitzten Knauf eines Gehstocks. Ihre grauen Augen blickten verwirrt und etwas abwesend vor sich hin. Es waren dieselben Augen, seine Augen. Es war seine Mutter. Irma drehte das Bild um.

Nelly, Weihnachten 1989

Irma hielt das Bild nur noch zwischen den Fingerspitzen.

Nelly, flüsterte sie, Nelly Schwarz.

Sie hatte sie gefunden. Letzte Weihnacht war sie noch in diesem Haus gewesen. Das machte es etwas einfacher für sie. Sie würde jedes einzelne Altersheim anrufen. Jedes Pflegeheim. Jede Alterssiedlung. Alles. Alles. Irgendwo würde sie sie finden.

Unweigerlich.

Dann schob sie das Bild aufs Geratewohl wieder in den russischen Roman zurück, stand auf und machte sich daran, das Bett neu zu beziehen.

Mechanisch führte sie die Handgriffe aus, dabei fragte sie sich, wie jedesmal, wenn sie in diesem Zimmer war, wie es möglich war, daß ein Ehepaar wie dieses, das seit zwanzig Jahren verheiratet war, auf so engem Raum zusammenleben konnte. In so einem schmalen Bett schlafen konnte. Unwillkürlich suchten ihre Augen auf den Betttüchern nach Spuren erfüllter ehelicher Pflichten. Sie fand keine. Das unverdient glückliche Leben der Frau Doktor Schwarz würde bald zu Ende sein.

Das gemeinsame Arbeitszimmer war durch eine Verbindungstüre zu erreichen. Zwei identische Schreibpulte standen einander gegenüber, von grünen Glaslampen beleuchtet, zwei Stühle, ein Bücherschrank und eine Aktenablage, ein fetter, träger, wildwuchernder Farn, sonst nichts. Irma stellte sich vor, wie beide darin arbeiteten. Wenn einer den Kopf hob, fiel sein Blick unweigerlich auf den anderen. Ein langer Balkon zog sich über die ganze Breite des Hauses, vom Schlafzimmer bis zum Arbeitszimmer, im Sommer standen blauweiß gestreifte Liegestühle und kleine Tischchen draußen. Frau Doktor Schwarz hatte die Angewohnheit, ihre Schuhe abzustreifen und die Füße auf das Balkongeländer zu legen, während sie meterhohe Aktenberge abtrug und dazu frischgepreßten Fruchtsaft trank. Frau Doktor Schwarz hatte häßliche Beine, kurz, säbelförmig, an den Knöcheln aufgeschwemmt.

Irma warf nur flüchtige Blicke in die Schreibtischschubladen und den Bücherschrank. Es erstaunte sie nicht sehr, auf seiner Seite eine kleine, in Seidenpapier eingeschlagene Whiskyflasche zu finden. Auch die Schreibtischseite von Frau Doktor Schwarz barg keine Geheimnisse. Sie schien regelmäßig und ordentlich daran zu arbeiten. Irma fand den Entwurf einer Rede, den sie nachdenklich durchlas. Frau Doktor Schwarz sprach von sozialer Verantwortung gegenüber jungen Müttern, alleinstehenden Müttern, gegenüber den Frauen, kurz gesagt, die nur deshalb zur Abtreibung gezwungen waren, weil sich niemand richtig um sie kümmerte. Frau Doktor Schwarz war gegen die Abtreibung. Eine Familie ist wie eine Party, schrieb sie, man kann sich eine sorgfältige Gästeliste machen, Einladungen verschicken, auf denen u.A.w.g. steht, und die Sitzordnung festlegen, oder man kann einfach die Türe aufreißen, das Haus öffnen und alle herzlich willkommen heißen, die unverhofft auftauchen. Ehrlich gesagt, wo würden Sie sich wohler fühlen?

Hier hatte sie von Hand noch eine Quellenangabe eingefügt, der Satz stammte offenbar nicht von ihr, und sie hatte sich im letzten Moment entschieden, ehrlich zu sein. Irma dachte daran, die Rede zu vernichten oder auch nur zu verlegen, aber der Verdacht wäre sofort auf sie gefallen, und so ließ sie es bleiben. Außerdem hatte Frau Doktor Schwarz sicher eine Kopie davon in ihrem Büro. Beim Leeren der Papierkörbe fand sie eine beachtliche Anzahl hastig aufgerissener Aluminiumhüllen von Alkaseltzer-Brausetabletten. Irma lächelte.

Sie warf einen Blick auf die Uhr. Es war kurz nach zwei. Irma hatte Hunger. Sie ging in die Küche, setzte die Kaffeemaschine in Betrieb und schob dann einen Stuhl gegen das Küchenbüffet, um wie ein kleines Kind im obersten Fach nach versteckten Süßigkeiten zu suchen. Irma wußte, daß in einer alten Kuchenform kleine, zusammengerollte Tüten mit Pralinen lagen.

Plötzlich ein Geräusch an der Türe. Irma sprang vom Stuhl und verschränkte schuldbewußt die Arme hinter dem Rücken.

Es war Sibylle, die ältere Tochter, ein zartes, zerbrechliches Wesen mit langen Haaren, die über ihr Gesicht fielen. Irma meinte sich zu erinnern, daß sie Ballettstunden nahm. Irma hatte selber Ballettstunden genommen, seit sie vier Jahre alt war. Dreimal die Woche, viermal die

Woche. Ihre Lehrerin hatte große Hoffnungen in sie gesetzt. Sie hatte Chancen, in die Ballettakademie aufgenommen zu werden. Dann war sie plötzlich wieder gewachsen, als sie zwölf Jahre alt war, ihre Beine schmerzten in der Nacht, sie fiel auf der Straße in Ohnmacht, und als sie dreizehn Jahre alt war, war sie schon so groß wie jetzt. Einen Meter achtundachtzig. Schuhgröße 43. Zu groß für eine Tänzerin. Zu groß überhaupt.

Irma lächelte Sibylle zu, die klein und schmal war und das kritische Alter schon überschritten hatte. Sie war vierzehn Jahre alt und würde wohl nicht mehr wachsen. Hast du Hunger, fragte Irma freundlich.

Nein, nein. Das Mädchen strich unschlüssig um den Tisch, die Hände hinter dem Rücken gefaltet, das Gesicht von langen Haarsträhnen verdeckt. Irma hatte das deutliche Gefühl, daß ihre Anwesenheit dem Mädchen lästig war. Sie trocknete die Hände an den Hosenbeinen ab und schaltete die Kaffeemaschine aus.

Ich fange schon mal oben an zu staubsaugen, sagte sie und verließ die Küche.

Sie hatte den Staubsauger unten an der Treppe stehengelassen und ließ sich nun Zeit, umständlich die Kabel zu sortieren und den Staubsack auszuwechseln. Dabei pustete sie den Staub in alle Richtungen und murmelte unverständliche Flüche vor sich hin. Sibylle kam mit einem mehrstöckigen Sandwich aus der Küche.

Ich gehe unten raus, sagte sie hastig, als sie Irma sah, und öffnete die Kellertür.

Irma schraubte blitzschnell den Staubsauger wieder zusammen und verstaute ihn im Putzschrank in der Diele. Sie hatte einen Fuß schon wieder auf dem Treppenabsatz, wollte nach oben laufen und alle Altersheime aus dem Telefonbuch anrufen und nach Nelly Schwarz fragen, als sie plötzlich innehielt, den Kopf neigte, lauschte. War da ein Geräusch gewesen? Ein Geräusch, das nicht hierhergehörte? Sie hörte das Schleifen der Garagentür über den unebenen Boden. Das Mädchen war gegangen. Einer unbestimmten Eingebung folgend, ging Irma in den Keller.

Vor der verschlossenen Tür unter der Treppe blieb sie stehen.

Das ungewohnte Geräusch, das sie gehört hatte, war das Krachen einer Eisenkette auf den Steinboden gewesen. Irma bückte sich und hob die Kette auf, sie war überraschend schwer und lang. Das andere Ende schien nur noch halbherzig am Türgriff zu hängen. Irma holte tief Luft, zog einmal ruckartig daran. Die Türe war nicht mehr verschlossen. Irma zog noch einmal an der Kette, und die Türe öffnete sich.

Beißender, fauliger Geruch schlug ihr entgegen. Irma preßte eine Hand vor Nase und Mund. Sie hörte rasselnde Atemzüge, ein schwaches Keuchen. Im Halbdunkel des Kellers konnte sie nichts erkennen.

Das Krokodil!

Aus ihrem Traum.

Sie wich einen Schritt zurück.

Etwas Weißes löste sich aus dem Schatten und schwebte auf sie zu. Eine Knochenhand. Irma fuhr noch weiter zurück, stolperte gegen die Wand. Sie streckte eine Hand aus und zündete das Licht an.

Zögernd ging sie den einen Schritt, der sie von dem Verschlag trennte.

Auf einer dünnen, fauligen Matratze lag ein kleines dunkles Kleiderbündel. Weiß und knochig ragten Hände und Füße aus dem muffigen Wollstoff. Ein gelblichgraues Gesicht, von schmutzigen grauen Strähnen umrahmt, wandte sich ihr entgegen, blicklose Augen, geschwungene

Nase, offenstehender, trocken keuchender Mund. Am
Rand der Matratze standen geöffnete Konservendosen, in
denen Plastikgabeln steckten, und das doppelstöckige
Sandwich, das Sibylle bereitet hatte. Die weiße Hand ragte immer noch zitternd in die Luft.

Irma sank in die Knie und ergriff die Hand. Sie war kalt
und klebrig.

Nelly, sagte sie leise, Nelly.

Sie hatte Nelly Schwarz gefunden.

Zwei

Frau Doktor Schwarz kam kurz nach halb fünf nach Hause. Irma war darauf vorbereitet gewesen. Als Frau Doktor
Schwarz die Haustüre öffnete, lag Irma im Hausflur auf
den Knien und säuberte mit spitzem Finger die Holzleisten
über dem Fußboden. Sie tat so, als hätte sie weder die
Haustüre noch die Schritte gehört, blieb so auf allen vie-
ren mitten im Flur knien, das knochige Gesäß provozie-
rend in die Luft gereckt, mit konzentriert gerunzelter Stirn
über die Leiste pustend. Frau Doktor Schwarz war gezwungen, über sie hinwegzusteigen, um ganz ins Haus zu
kommen, das tat sie natürlich nicht, man steigt nicht über
am Boden kniende Bedienstete hinweg. Und so blieb sie im
Flur stehen, unschlüssig mit ihren kleinen Füßen in ele-
ganten weichen Lederstiefeln vor Irmas Gesicht zuckend.
Irma warf einen Blick auf die Stiefel, fuhr zusammen und
richtete sich mühsam auf.

Oh, ich habe Sie gar nicht kommen gehört, stammelte
sie verwirrt.

Frau Doktor Schwarz lächelte gezwungen.

Eine Klientin hat abgesagt, murmelte sie und zog ihre Handschuhe aus, Lederhandschuhe, zu den Stiefeln passend. Irma richtete sich mühsam auf, mit einer Hand ihr Kreuz stützend, als liege sie seit Stunden so am Boden und könne sich kaum mehr bewegen.

Sind Sie sonst fertig? fragte Frau Doktor Schwarz.

Oben habe ich alles gemacht, antwortete Irma.

Frau Doktor Schwarz nickte, zog ihren Mantel aus und ging in die Küche. Die Art, wie sie auf dem Flurteppich stehenblieb, die Türe aufstieß und ihren Blick in den Raum schweifen ließ, bevor sie ihn betrat, sagte alles. Sie blickte kurz über die Schulter zurück.

Ich mache mir einen Kaffee, rief sie, mögen Sie auch?

Danke, sagte Irma.

Sie ließ sich wieder in die Knie sinken, wickelte einen frischen Zipfel vom Staubtuch um den Zeigefinger und rutschte der Leiste entlang zur Treppe. So blieb sie gebückt, bis Frau Doktor Schwarz nach ihr rief, der Kaffee sei fertig.

Irma trank stehend, gegen das Küchenbüffet gelehnt.

Setzen Sie sich doch, sagte Frau Doktor Schwarz ungeduldig.

Irma setzte sich und blies angelegentlich in ihre Tasse.

Haben Sie es sich überlegt wegen der Theaterkarten?

Theaterkarten? O ja, ich würde sehr gern hingehen.

Frau Doktor Schwarz lächelte erfreut.

Sie werden sehen, es wird Ihnen gefallen.

Irma lächelte auch.

Ich werde mit meiner Großmutter hingehen. Sie war seit Jahren nicht mehr im Theater.

Das Lächeln von Frau Doktor Schwarz blieb unverändert.

Irma trank ihre Tasse aus.

Gehen Sie nach Hause, sagte Frau Doktor Schwarz und wedelte mit der Hand. Sie haben für heute genug gearbeitet.

Danke.

Frau Doktor Schwarz beugte sich ein bißchen nach vorn.

Ich glaube, ich werde jetzt ein heißes Bad nehmen, meinte sie vertraulich. Ich bin völlig geschafft.

Irma hob die Augenbrauen, als hätte sie etwas Unanständiges gesagt.

Auf dem Weg nach Hause betrat Irma ein Reformhaus. Es war merkwürdig still und roch leicht säuerlich. Sie nahm einen geflochtenen Henkelkorb und packte ihn mit allem voll, was sie vage als stärkend und aufbauend empfand: Orangenblütenhonig, Sanddornsirup, Vitamine, Bierhefe, Milch, Quark, Eier, Fünfkornflocken, Vollreis, Reiswaffeln, ungespritzte Äpfel, Kiwis, Bananen und Zitronen. Dafür gab sie das ganze Geld, das sie an dem Tag verdient hatte, wieder aus.

Als sie nach Hause kam, lag Nelly zusammengerollt auf dem Sofa. Sie schien sich in den letzten Stunden nicht bewegt zu haben. Sie lag genauso auf dem Sofa, wie Irma sie hingelegt hatte. Irma schloß leise die Türe hinter sich, stellte ihre Einkäufe auf den Tisch und trat dann langsam ganz nahe ans Sofa heran. Was, wenn sie in der Zwischenzeit gestorben war?

Sie ging in die Knie, umfaßte das zerbrechliche Handgelenk und fühlte nach dem Puls. Ein seltsam staubiger Geruch ging von der alten Frau aus. Irma konnte keinen Puls fühlen. Vielleicht war sie ja wirklich schon tot.

Dann zuckten Nellys Lider, sie öffnete die Augen. Graue, blicklose Augen. Sie lebte.

Irma stand auf und begann, aus den gekauften Säften und Präparaten ein Getränk zuzubereiten. In ihrer Küche stand ein schwerer alter Mixer, den sie auf dem Flohmarkt gekauft und noch nie benutzt hatte. Sie füllte das Glas mit Milch, Honig, einer reifen Kiwi, Bierhefe, einer halben Banane, rohem Eigelb und schaltete den Mixer auf volle Kraft. Das Getränk war abstoßend breiig und farblos.

Trinken Sie das, sagte Irma sanft. Nelly reagierte nicht. Irma schob einen Arm unter Nellys Nacken und hob sie sanft an. Sie war leichter als ein Kind. Irma hatte sie ins Taxi getragen, so wie sie war, und vom Taxi, das unten an der Straße am Rand der Siedlung angehalten hatte, bis in die Wohnung. Ohne jede Anstrengung. Dem Taxifahrer hatte sie ein übertriebenes Trinkgeld versprechen müssen, damit er sie überhaupt mitnahm, er fürchtete wohl um seine plüschbezogenen Polster. Irma hatte nicht gewußt, ob Nelly überhaupt noch lebte. Sie hatte den Taxifahrer gebeten, an der Straße unten zu warten. Sie hatte Nelly durch die Siedlung zu ihrem Haus, die Treppe hinauf in ihre Wohnung getragen, ohne jemandem zu begegnen. Sie hatte sie auf das Sofa gelegt und war mit demselben Taxi sofort wieder zurück zu Schwarzens gefahren.

Auf dem Küchentisch hatte sie einen Zettel hinterlassen:

Musste schnell zur Apotheke wegen Migräne – bin sofort zurück – Irma Zweifel.

Denn man konnte nie wissen, wann Frau Doktor Schwarz nach Hause kam.

Diesmal war Irma vor ihr da gewesen, sie hatte den Zettel in kleinste Fetzen zerrissen und ins Klo gespült. Dann hatte sie sich darangemacht, die Fußbodenleisten zu reinigen.

Wenig später war sie dann auch gekommen, Frau Doktor Schwarz.

Die Türe unter der Kellertreppe war wieder fest verschlossen.

Irma fragte sich, wann sie merken würden, daß Nelly nicht mehr da war. Wie oft mochten sie die Türe überhaupt geöffnet haben?

Irma drängte den dicken Rand des Mixerglases zwischen Nellys ausgetrocknete Lippen und kippte das Getränk langsam in sie hinein.

Nelly riß die Augen auf. Der erste Schluck tropfte über ihr Kinn. Dann schluckte sie hart und gierig, der ganze Inhalt des großen Glases verschwand in ihr, und ihre Augen blickten jetzt ein bißchen wacher.

Gesagt hatte sie immer noch nichts.

Irma stellte das Glas in den Spülstein und holte eine Serviette. Vorsichtig tupfte sie Nellys Kinn ab. Besser? fragte sie und Nelly nickte. Dann beugte sie sich vor, würgte und spie den ganzen Kraftsaft in hohem Bogen über das Sofa. Und über Irmas Beine.

Nelly sank erschöpft in die Polster zurück. Irma stand auf und holte einen Putzeimer und einen feuchten Lappen.

Sie zog Nelly die Kleider aus, sie waren starr vor Schmutz und hatten jede Farbe verloren. Ein kleines blaues Büchlein fiel auf den Boden. Irma hob es auf. Der Einband war verschmutzt. In einer Schlaufe an der Seite steckte ein winziger silberner Drehbleistift. Irma legte das Büchlein neben das Bett. Sie rollte die Kleider zusammen und warf sie in den Mülleimer.

Irma badete Nelly in lauwarmem Wasser mit Babyöl. Nelly schwamm mit geschlossenen Augen in Irmas Armbeuge. Ihr Körper war winzig, zerbrechlich und faltenüberworfen. Ihre Haut war von trockenen Schuppen übersät und stellenweise blutig gekratzt. An der Hüfte hatte sie eine lange, schlecht verheilte Operationsnarbe. Irma wusch sie vorsichtig mit einem weichen Schwamm, hob sie aus der Wanne und wickelte sie in ein Badetuch.

Vorsichtig legte sie sie auf ihr Bett. Nelly hielt die Augen geschlossen, sie atmete mühsam durch den Mund. Irma ging aus dem Zimmer und nahm einen warmen, weichen, alten Flanellpyjama aus dem Wandschrank im Flur. Als sie zurückkam, lag Nelly in einer Lache dampfenden Urins. Sie war eingeschlafen.

Irma legte sie auf den weichen Badezimmerteppich, wusch sie mit warmem Wasser und zog ihr den Pyjama an. Nelly schien ihr leicht die Arme und Beine entgegenzustrecken, ohne die Augen zu öffnen. Wie ein Baby, dachte Irma. Wie ein Baby, das auf dem Badezimmerteppich gewickelt wird. Sie warf ein Handtuch über sie und ließ sie so liegen, während sie das Bett neu bezog. Sie mußte die Matratze umdrehen. Irmas Matratze war alt und fleckig und durchgelegen. Sie dachte an die schmuddlige Matte in dem Kellerloch, auf der Nelly weiß Gott wie lange gelegen hatte, eine alte Hundematte, und beschloß, so bald wie möglich ein richtiges Bett zu kaufen. Für Nelly.

Wir kaufen ein neues Bett, versprach sie ihr, während sie sie vorsichtig zudeckte.

Irma saß auf dem Sofa mit angezogenen Beinen. In einer Hand hielt sie ein Wasserglas, mit dunkelbraunem, bitterem Likör gefüllt, in der anderen ihren Reisewecker. Sie sah zu, wie die Minuten wegtickten, und versuchte sich vorzustellen, was morgen wäre.

Am nächsten Morgen stand sie früh auf und rief ihre anderen Arbeitgeber an. Sie nahm sich die ganze Woche frei. Jeden Tag in der Woche mußte sie einen anderen nahen

Verwandten beerdigen. Es fiel ihr nicht schwer, das glaubwürdig vorzubringen, und doch reagierten alle sehr unwirsch. Obwohl es allen klar war, daß Irma die ganze Arbeit in der folgenden Woche nachholen würde, ohne extra dafür bezahlt zu werden. Sie nahmen es persönlich. Sie fühlten sich verraten. Wie können Sie mich so im Stich lassen! riefen sie. Mein Gott, ausgerechnet diese Woche! Muß das denn sein!

Sagen Sie das doch meinem Vater, zischte Irma, er ist es schließlich, der so unpassend plötzlich gestorben ist!

Atemlos legte sie den Hörer auf die Gabel, und erst dann fiel ihr wieder ein, daß sie anfangs ja behauptet hatte, ihre Mutter sei gestorben.

Nur bei Schwarzens sagte sie nicht ab. Das wäre zu auffällig gewesen. Sie hoffte einfach, daß es Nelly bis Freitag wieder etwas besserginge.

Sie bereitete noch ein Getränk zu. Auf Zehenspitzen ging sie die Treppe hinauf. Nelly lag wach im Bett, ohne sich zu rühren. Ihre Augen folgten Irma durchs Zimmer. Irma kniete sich neben die Matratze.

Wir versuchen es noch einmal, sagte sie.

Nelly versuchte sich aufzurichten. Irma stützte sie mit einem Arm. Nelly trank. Diesmal behielt sie es bei sich. Sie warteten lange Minuten. Es gelang Nelly sogar, Irmas stolzes Lächeln schwach zu erwidern.

Irma untersuchte Nellys Zähne mit dem Finger. Es waren ihre eigenen, gesunden, kräftigen, weißen Zähne.

Irma badete Nelly, wusch ihr die langen, weißgrauen Haare, fönte sie sanft und flocht sie zu einem Zopf. Sie rieb den alten Körper mit Salbe ein. Sie trug sie auf die Toilette, kauerte lange vor ihr. Nelly hielt ihre dünnen Arme um Irmas Hals geschlungen, den nackten Körper nach vorne gekippt. Lange Zeit geschah nichts. Erst als

Irma sie hochhob, um sie zurück ins Schlafzimmer zu tragen, rann der warme Urin über ihre Beine. Sie spürte, wie Nellys Arme sich an ihrem Hals verkrampften. Sie strich mit der freien Hand beruhigend über den harten Rücken.

Am Nachmittag schien die Sonne. Irma stellte einen Korbstuhl auf den Balkon und setzte die in eine dicke Wolldecke gewickelte Nelly hinein. Irma lehnte sich an das Balkongeländer und rauchte eine Zigarette. Sie sah, wie Nelly in der Sonne blinzelte, und setzte ihr eine Sonnenbrille auf. So saß sie Stunden. Schweigend, die Augen hinter einer modischen Brille mit dunkelgrünen Gläsern verborgen. Irma ging hinein und hinaus. Sie wußte nicht, ob Nelly sie wahrnahm hinter den Brillengläsern. Als die Sonne plötzlich hinter einer Wolke verschwand, trug sie sie wortlos ins Wohnzimmer.

Nelly träumte in der Nacht. Sie stöhnte laut. Irma hörte sie und rannte nach oben. Sie versuchte, sie in den Arm zu nehmen, aber Nelly schlug wild um sich. Die Alte hat Kraft, dachte Irma voller Befriedigung. Schließlich gelang es ihr, sie zu beruhigen.

Nellys Gesicht war ein bißchen voller geworden. Ihr Mund schien nicht mehr so schnabelartig vorzustehen.

Am nächsten Morgen ging Irma mit ihr spazieren. Nur durch die Wohnung: vom Sofa zum Küchentisch, vom Küchentisch zum Fenster, vom Fenster bis zur Wohnungstüre und von dort auf den Balkon. Wieder saß Nelly regungslos eine Stunde lang in der Sonne.

Als sie Nelly vom Sessel hochhob, bemerkte sie den feuchten, übelriechenden, dunklen Fleck auf dem Kissen. Nelly verzog unmerklich das Gesicht.

Macht nichts, sagte Irma.

Sie trug Nelly ins Badezimmer, zog sie aus und stellte sie in die Dusche. Nelly klammerte sich mit ihrer schmalen Hand am Duschgriff fest. Irma drehte sich zum Wandschrank, um ein frisches Badetuch herauszunehmen. Als sie sich umdrehte, stand Nelly immer noch da, aufrecht, an den Chromstahlgriff geklammert. Sie stand da und grinste. Irma grinste zurück.

Am selben Abend schob Nelly den Kraftdrink weit von sich und sagte mit deutlicher Stimme:

Machen Sie mir etwas Anständiges zu essen.

Irma starrte sie an.

Nelly räusperte sich.

Wenn Sie so gut sein wollen, sagte sie und versuchte ein Lächeln.

Ich kann nicht kochen, sagte Irma entschuldigend.

Irma hob Nelly hoch und setzte sie auf die Arbeitsfläche in der Küche. Sie schob ihr ein Kissen in den Rücken. Da saß sie nun und dirigierte Irma durch die Küche.

Was soll das heißen, Sie können nicht kochen? fragte sie streng. Wie alt sind Sie überhaupt?

Achtundzwanzig, gab Irma zu.

Nelly schüttelte den Kopf. Sie ließ Irma die Schränke und Kästen öffnen und die Vorräte aufzählen. Im Kühlschrank fand sich noch ein Huhn, das Irma gekauft hatte, um eine kräftigende Hühnerbrühe für Nelly zu kochen. Aber erstens wußte sie gar nicht, wie das ging, und zweitens, klärte Nelly sie auf, war das ein Brathuhn und kein Suppenhuhn.

Das Huhn sollte sie jetzt zubereiten. Nelly gab ihr klare Anweisungen. Sie bemängelte die grobgehackten Zwiebelwürfel, das karge Gewürzsortiment, das völlige Fehlen frischer Zutaten.

Als sie das Huhn endlich in den Ofen geschoben hatte, war Irma erschöpft.

Nehmen Sie einen Zettel, befahl Nelly, morgen gehen Sie einkaufen.

Irma setzte sich an den Tisch. Sie fuhr sich mit der Hand über die Stirn. Ihre Hand roch nach Zwiebeln. Nelly diktierte ihr die Einkaufsliste.

Das Huhn aßen sie gemeinsam am Tisch sitzend. Irma fragte sich, wann sie das letzte Mal am Tisch gegessen hatte, nicht auf dem Sofa, vor dem Fernseher, auf dem Teppich liegend oder im Bett. Am liebsten aß sie überhaupt im Bett, aber das konnte sie Nelly nicht sagen.

Nelly lobte das Huhn.

Ein bißchen zu viel Salz vielleicht, meinte sie, aber das lernen Sie schon noch. Meine Schwiegertochter . . .

Meine Schwiegertochter, wiederholte Nelly.

Irma senkte den Blick auf ihren Teller. Mit der Gabel schob sie die abgenagten Hühnerknochen hin und her.

Meine Schwiegertochter kocht sehr gut, brachte Nelly ihren Satz zu Ende. Ihre Stimme war vollkommen ausdruckslos.

Ja, sagte Irma schließlich, aber ich hatte jedesmal Bauchweh, wenn ich vom Tisch aufstand.

Nelly nahm ein Hühnerbein in die Hand und nagte vorsichtig an den Fleischresten. Ein glänzender Tropfen Fett rann über ihr Kinn. Sie trug eine alte Balletthose von Irma und einen ausgewaschenen grauen Rollkragenpullover, der fast als Kleid gelten konnte. Ihre spitzen Zähne schabten am Hühnerknochen. Über die Knochen hinweg warf sie Irma einen Blick zu, der ebenso schelmisch wie gefährlich blitzte.

Als Irma vom Einkaufen nach Hause kam, hörte sie Stimmen durch die Wohnungstür. Sie blieb stehen. Hielt den Atem an. Die Polizei! Frau Doktor Schwarz hatte sie durchschaut. Frau Doktor Schwarz wußte schließlich, wo sie wohnte. Vielleicht war sie auch gleich selber gekommen, ohne die Polizei einzuschalten, vielleicht beugte sie sich in diesem Moment über Nellys wehrlosen alten Körper, bestrafte sie, quälte sie, gleich hier in Irmas Wohnung, gleich hinter der Türe. Irma schluckte leer.

Die Tür war nicht verschlossen. Vorsichtig schob sie sie einen Spalt weit auf.

Nelly lag zurückgelehnt auf dem Sofa, ihr Gesicht schien ein bißchen eingefallen. Auf dem kleinen Tisch stand eine Kanne Tee mit zwei Tassen und einer Schale mit hübsch angeordneten Zitronenscheiben. Auf dem Sessel saß ein blonder Mann, die Beine in den schweren Stiefeln lässig von sich gestreckt.

Der Mann aus dem Supermarkt.

Der Mann mit dem Motorrad.

Wie hieß er noch gleich?

Irma zog die Wohnungstüre hinter sich zu, so daß es knallte. Der Mann sprang auf die Füße und drehte sich nach ihr um.

Irma! rief er. Endlich!

Irma wich einen Schritt zurück. Ihr fragender Blick fiel auf Nelly, die matt die Hand hob und zu lächeln versuchte. Irma schob den jungen Mann aus dem Weg und kniete sich neben das Sofa. Sie faßte nach Nellys Arm.

Sie sind müde, stellte sie fest.

Und drehte sich um, vorwurfsvoll.

Ich wollte nicht . . . stammelte er. Ich wußte ja nicht . . .

Und dann, mit schmollend vorgeschobener Lippe: Ich wollte dich anrufen, aber du hast ja gar keinen Anschluß!

Irma zuckte mit den Schultern.

Ich mußte einfach vorbeikommen, rief er verzweifelt. Ich mußte dich sehen! Irma!

Er schien im nächsten Moment nach vorne kippen zu wollen, in ihre Arme.

Unwillkürlich verschränkte sie die Arme vor der Brust.

Geh weg, sagte sie leise. Nicht besonders höflich, sie dachte nicht darüber nach, sagte es einfach. Geh weg, war ihr einziger Gedanke.

Deine Großmutter war so nett . . . Hilflos deutete er auf das Tablett mit den Teetassen. Meine Großmutter ist krank, sagte Irma hart. Bitte geh jetzt. Ich werde dich anrufen! Ganz sicher!

Er warf ihr einen wunden Blick zu, wandte sich um und rief noch im Gehen über die Schulter: Aber du warst es doch, die mich angemacht hat!

Irma schloß leise die Türe hinter ihm. Mit dem Schlüssel.

So ein netter junger Mann, flüsterte Nelly, wie hieß er noch gleich?

Irma lächelte.

Eben. Ich weiß es gar nicht mehr.

Irma bereitete aus den Resten des Brathuhns eine Suppe für Nelly, die nur noch matt vom Sofa aus Anweisungen geben konnte. Irmas Herz zog sich zusammen, als sie mit der dampfenden Suppentasse zu ihr trat. Nelly war zu schwach, auch nur den Kopf zu heben.

Es ging alles viel zu schnell, dachte Irma, es ist noch keine Woche her, seit ich sie gefunden habe. Und wer weiß, wie lange sie schon da drin war.

Letzte Weihnacht, fiel ihr ein, saß sie noch mit den anderen unter der Tanne.

Ja, aber vielleicht haben sie sie einfach zu dem Anlaß

heraufgeholt, um sie den anderen Verwandten zu zeigen, die vielleicht glauben, sie lebe in einem teuren Altersheim.

Irma schob einen Arm unter Nellys Nacken und hob sie sanft an. Mit der anderen Hand hielt sie den Löffel, flößte ihr schlückchenweise die heiße Suppe ein. Nelly gelang es noch, anerkennend zu nicken, dann sank sie zurück. Sie schlief so schnell ein, daß Irma wieder einmal glaubte, sie sei gestorben.

Verzweifelt preßte sie ihren Kopf auf die magere Brust.

Das Herz schlug noch. Sie nahm Nelly in die Arme und trug sie nach oben. Sie legte sie vorsichtig auf das Bett, zog ihr die Pantoffeln aus und legte sie so schlafen, wie sie war, in Balletttricot und Rollkragenpullover. Sanft zog sie die Decke über sie und steckte sie fest. Strich ihr über die Haare, küßte sie.

Nelly öffnete die Augen halb.

Ich fürchte, der junge Mann hat mich etwas ermüdet, flüsterte sie, bevor sie wieder einschlief. Scht, sagte Irma.

Dann saß sie auf dem Sofa, in eine alte, etwas schmuddlige Steppdecke gewickelt, und trank gläserweise Ramazotti. Sie traute sich nicht, den Fernseher einzuschalten, das Schlafzimmer war halb offen zur Galerie. Das Geräusch könnte Nelly aufwecken. Das blaue Licht könnte sie im Schlaf stören. Irma nippte an ihrem Ramazotti und starrte vor sich hin. Auf dem kleinen Tisch lagen die Polaroidaufnahmen, die sie von Nelly in ihrem Kellerloch gemacht hatte.

Das werden sie bezahlen, dachte sie. Dafür werden sie büßen.

Sie stand im Badezimmer, hielt die Zahnbürste schon in der Hand, da sah sie, daß ihre Lippen vom Likör ganz schwarz geworden waren.

Irma klappte das Sofa zum Bett auseinander und legte sich mit ihrer Steppdecke hin. Leise zog sie sich aus. Auf der Galerie brannte schwaches Licht. Nelly konnte nicht mehr im Dunkeln schlafen. Sie hatte Angst im Dunkeln.

Irma hatte sich daran gewöhnt, auf dem Sofa zu schlafen. Es war ein Bettsofa. Jeden Morgen schob sie es wieder ordentlich zusammen, instinktiv wußte sie, daß Nelly keine Unordnung ertrug. Im Licht ihrer Taschenlampe las sie eines der romantischen Taschenbücher, das sie im Supermarkt gekauft hatte. Doch in dieser Nacht konnten sie die Leiden einer jungen Ölprinzessin nicht trösten. Geschweige denn einschlafen lassen. Plötzlich hörte sie ein unmenschliches Keuchen, Stöhnen. Sie fuhr hoch, saß bewegungslos, starr, ihr Herz klopfte. Wieder ein Rasseln, Röcheln. Nelly!

Mit drei Schritten war sie oben. Nelly lag im Bett, die Augen weit aufgerissen gegen die Decke gerichtet, der Mund halb geöffnet, die Haare schweißverklebt.

Nelly! Irma packte ihre Schulter und schüttelte sie leicht. Nelly!

Bis sie wieder zu sich kam.

Oh, Irma, hauchte sie, es tut mir leid, ich wollte Sie nicht wecken.

Irma schüttelte den Kopf.

Ich habe noch nicht geschlafen.

Sie schlug die Decke zurück und schlüpfte zu Nelly. Sie schob einen Arm unter ihren Nacken. Flüsternd gestand Nelly, daß sie jede Nacht diese Alpträume hatte und daß sie, um Irma nicht zu wecken, sich vor dem Einschlafen ein Taschentuch in den Mund geschoben hatte, um nicht laut zu stöhnen.

Irma drehte die Augen zur Decke und schüttelte den Kopf. Worte fand sie keine.

Das habe sie früher immer gemacht, wenn die Schmerzen kamen, erklärte sie ganz ernsthaft, um ihren Mann nicht zu wecken.

Was für Schmerzen?

Frauenschmerzen.

Nelly stammte aus einer reichen Familie. Keiner guten zwar, aber einer reichen. Wenn man das Familie nennen konnte: sie und ihre Mutter und eine Reihe von Dienstboten. Vor allem erinnerte sich Nelly an die Köchin, die aus Österreich kam und einmal im Jahr eine Sachertorte buk, eine richtige.

Ein gieriges Leuchten trat in Nellys Augen. Nie wieder hatte sie so eine Sachertorte gegessen.

In dem Haus, in dem sie gewohnt hatten, war heute eine Privatschule. Nelly erklärte Irma, wo es sich befand. Irma schluckte. Sie kannte das Haus. Eine Schule war da leicht unterzubringen. Nellys Mutter wurde von ihren Brüdern unterstützt, die in Südamerika reich geworden waren. Niemand wußte genau, wie. Niemand wollte es genau wissen. Nellys Mutter ging darüber hinweg. Nellys Vater war ein Professor gewesen, sie konnte sich nicht mehr erinnern, welche Art von Professor. Sie konnte sich kaum daran erinnern, daß er mit ihnen gelebt hatte. Eines Tages hatte er genug gehabt von dem großen Haus, den gesellschaftlichen Verpflichtungen und vor allem wohl von seiner anspruchsvollen, immer am Rande der Hysterie tanzenden Frau. Hysterie, die ausbrechen konnte, wenn die Henkel der Kaffeetassen auf dem Tisch in die falsche Richtung zeigten. Nellys Vater, der Professor, verließ das Haus und wurde Landstreicher, Clochard und Säufer. Er wohnte unter einer Brücke und genoß dies, vor allem, wenn ihn jemand erkannte. Er genoß das Entsetzen, den Abscheu im Blick der anderen, und hoffte, sie würden zu seiner Frau gehen, seiner ehemaligen Frau, und sie in Verlegenheit bringen. Nelly sah ihren Vater jeweils am Heiligen Abend; im feierlichsten Moment klingelte es an der Tür, und da stand er, stinkend, grinsend, abgewetzt. In der Tasche seines abgetragenen Sakkos hatte er zwei silberne Flachmänner: einen für Cognac und einen für Mundwasser – Eau de Botot. Der Clochard hatte immer noch Stil. Er ließ sich die beiden Flaschen auffüllen und ging dann wieder. Das tat er natürlich nur, um seiner Frau das Fest zu verderben. Er wußte genau, daß sie die kleinste Störung im Ablauf eines gesellschaftlichen Anlasses an den Rand des Nervenzusammenbruchs trieb. Er wußte, daß sie die nächsten Tage mit Migräneanfällen in einem verdunkelten Zimmer verbringen würde. Nelly hatte am 29. Dezember Geburtstag. Seit ihr Vater sich so benahm, hatte sie nie mehr Geburtstag gefeiert. Aber das war ihr egal. Nelly war sich nie ganz sicher, ob er sie überhaupt bemerkte, linkisch und mager unter dem Christbaum stehend, ihre glühenden Augen seinen Blick suchend.

Nelly war sehr hübsch. Als sie vierzehn Jahre alt war, heiratete ihre Mutter einen Diplomaten, der ein paar Jahre jünger war als sie und eigentlich in Nelly verliebt. Aber Nelly war zu jung, um zu heiraten. Zu jung, um sich zu verlieben. Das heißt, sie war verliebt, in einen Schauspieler. Sie wartete stundenlang vor dem Bühnenausgang auf ihn und verwahrte sein Bild unter dem Kopfkissen. Der Diplomat heiratete ihre Mutter und nahm sie mit nach Lissabon, Paris, Budapest, Buenos Aires . . .

Dann starb Nellys Mutter, und sie mußte den Diplomaten heiraten. Sie war neunzehn, und sie wußte nicht, was sie sonst machen sollte.

Der Diplomat machte ihr ein Kind, das schon als Baby seltsam ältlich wirkte und deshalb einen ältlichen Namen bekam: Emil. Emil Schwarz.

Nelly wollte keine weiteren alten Kinder.

Sie schloß sich im Schlafzimmer ein.

Sie rannte stundenlang die Treppen hinauf und hinunter.

Sie badete heiß.

Sie sprang vom Küchenbüffet.

Sie trank Chininaufgüsse.

Sie biß die Zähne zusammen, kniff die Augen zu und zählte bis drei. Dann stieß sie sich eine Stricknadel in den Leib. Das funktionierte einmal.

Beim zweitenmal bekam sie eine Entzündung und wäre beinahe gestorben. Das waren die Nächte, in denen sie auf ihr Taschentuch biß.

Sie wurde operiert.

Sie mußte nicht mehr mit ihrem Mann schlafen, und sie wurde nicht mehr schwanger.

Um so besser, denn bald stellte sich heraus, daß er die Syphilis hatte. Die weichte sein Hirn auf. Sie pflegte ihn jahrelang. Er ließ ihr keine Ruhe. Er verlangte in der Nacht nach ihr. Er hetzte sie die Treppen hinauf und hinunter. Manchmal fuhr er ihr mit seinen klauenartigen gelben Fingern unter den Rock.

Dann starb er. Er hinterließ seiner Frau und seinem Sohn nichts als eine Skihütte in den Bergen.

Dorthin zogen sie.

Nelly hoffte, ihr Sohn würde in den Bergen ein bißchen Farbe annehmen. Vielleicht auch vergessen, wie er aufgewachsen war. Nelly liebte ihn eher widerwillig, aber sie liebte ihn.

In dem Dorf in den Bergen begann sie zu arbeiten. Sie nähte Puppenkleider für den Touristenladen. Das Dorf in den Bergen entwickelte sich nach und nach zu einem mondänen Ferienort. Sie konnte die Skihütte teuer verkaufen.

Ihr Sohn hatte in den zehn Jahren keinen Hauch Farbe angenommen. Er war erwachsen geworden. Je älter er wurde, desto weniger fiel seine Ältlichkeit auf.

Nelly wunderte sich, daß er so früh heiratete. Sie hatte nie geglaubt, daß eine Frau ihm gefallen könnte oder er einer Frau, und erst noch einer, die so . . . die so . . .

Den Rest der Nacht lag Irma wach, den papierenen kleinen Körper leicht an sich drückend, Nellys Atemzüge zählend.

Ich bringe sie um, dachte sie. Ich bringe sie um.

Dann kam der Freitag. Irma mußte zurück ins Haus der Schwarz. Sie stand früh auf und bewegte sich leise. Ihre Kleider hatte sie schon am Vorabend zurechtgelegt. Sie zog sich im Dunkeln an. Als sie schon auf der Treppe war, hörte sie Nellys Stimme.

Irma! rief Nelly leise.

Irma schaute hoch und sah, wie Nelly sich über das Geländer beugte.

Schon wach? flüsterte Irma zurück, obwohl ja außer ihnen beiden niemand da war, den sie hätten aufwecken können.

Wo gehen Sie hin? fragte Nelly und schickte sich an, die Treppe herunterzukommen.

Ich muß zur Arbeit, sagte Irma schnell, gehen Sie wieder ins Bett. Ich bin nach fünf zurück.

Langsam kam Nelly die Treppe herunter. Mit einer Hand klammerte sie sich ans Geländer.

Wo gehen Sie hin? fragte sie noch einmal.

Zur Arbeit, wiederholte Irma wie ein Idiot.

Nelly trug einen rotgrün gemusterten, kunstseidenen Kimono über einem Set rosafarbener Skiunterwäsche. Sie sah königlich aus.

Irma schrumpfte unter ihrem Blick.

Sie wissen doch, murmelte sie, ich bin die Putzfrau.

Ich mache Kaffee, sagte Nelly.

Ich habe keine Zeit mehr. Irma blickte auf ihre Uhr. Ich muß um acht dort sein.

Ohne Frühstück gehen Sie nicht aus dem Haus!

Irma gab nach. Lächelnd. Sie setzte sich an den Tisch, während Nelly die Kaffeemaschine in Betrieb setzte.

Nichts zu essen, bat Irma, ich kann so früh am Morgen noch nichts essen.

Nelly stellte die Tasse vor sie hin. Sie stand schräg hinter Irma. Ihre kleine Hand fuhr in die Tasche des Kunstseidenkimonos und zog eine Polaroidaufnahme hervor, die sie neben Irmas Tasse legte.

Das Photo zeigte ein Bündel Lumpen in einem finsteren Verschlag.

Am linken Rand sah man die Eisenketten von der offenen Türe baumeln, man sah auch die Konservendosen und die Plastikgabeln.

Irma hob die Tasse hoch, pustete angelegentlich hinein und tat, als hätte sie das Bild nicht gesehen.

Nelly setzte sich neben Irma an den Tisch. Sie sah sie von der Seite an. Irma senkte ihr Gesicht tiefer über die Tasse.

Das bin ich, nicht wahr, das bin ich, sagte Nelly traurig.

Irma trank ihre Tasse aus und stand auf.

Warum haben Sie das Bild gemacht? Was haben Sie vor?

Irma drehte sich um, nahm ihre Jacke von der Stuhllehne und schlüpfte hinein. Ein Arm kämpfte gegen einen Ärmel.

Seien Sie vorsichtig, bat Nelly und zupfte den Ärmel zurecht.

Irma beugte sich tief tief hinunter und küßte Nelly auf die Augenbraue.

Sie auch, sagte sie.

Drei

Irma wurde immer nervöser, je näher sie dem Haus der Familie Schwarz kam. Sie fragte sich, ob man Nellys Verschwinden schon entdeckt hatte. Ob man es mit ihr in Verbindung bringen würde. Ob sie gleich von der Polizei empfangen werden würde. Zum ersten Mal seit zwei Jahren mußte sie an der Haustüre klingeln und lange warten, bis sie eingelassen wurde.

Kommen Sie, sagte Frau Doktor Schwarz, heute gibt es viel zu tun.

Irma schälte sich umständlich aus ihrer langen Jacke.

Sie sind ja letztes Mal früher gegangen, fügte Frau Doktor Schwarz bissig hinzu.

Das stimmt, sagte Irma ungerührt.

Sie schob die Ärmel ihres Pullovers hoch.

Wo soll ich anfangen?

Frau Doktor Schwarz lächelte unergründlich.

Im Keller.

Im Keller?

Irma hatte das Gefühl, ihr Herzschlag setze einen Moment lang aus, um dann unregelmäßig und gehetzt weiterzuholpern. Frau Doktor Schwarz hatte den Verschlag geöffnet. Vielleicht schon letzten Montag, kurz nachdem Irma gegangen war. Sie stellte sie auf die Probe. War sie vielleicht die einzige Fremde, die diese Woche das Haus betreten hatte? Sie hatte nie etwas von Besuchern gesehen oder gehört in diesem Haus.

Irma schluckte leer.

Im Keller, wiederholte sie tapfer.

Bügeln, befahl Frau Doktor Schwarz. Irma wollte etwas entgegnen, doch sie hob nur warnend die flache Hand.

Ich weiß, ich weiß, sagte sie, in Ihrem Vertrag steht, daß Sie nicht bügeln müssen, aber da steht auch, daß wir im Notfall eine Ausnahme machen. Und es ist ein Notfall.

Frau Doktor Schwarz führte sie persönlich in die Waschküche. Sie kamen an der Türe vorbei, die immer noch mit Ketten verhängt war. Irma zwang sich, nicht zu auffällig hinzusehen. Frau Doktor Schwarz öffnete die Türe zur Waschküche.

Hier, sagte sie knapp, versuchen Sie, vor dem Mittagessen fertig zu sein!

Irma blieb in der Türe stehen, es hatte ihr den Atem verschlagen. Jedes einzelne Wäschestück aus dem ganzen Haus mußte sich hier auf einem feuchten Haufen türmen. Bettwäsche, Hemden, Blusen, sogar Unterwäsche. Frau Doktor Schwarz mußte die ganze Nacht hindurch gewaschen haben. Im ganzen Haus dürfte kein trockenes Stück Wäsche mehr zu finden sein. Irma mußte sich mit der Hand am Türrahmen festhalten. Sie hörte, wie Frau Doktor Schwarz tief einatmete, als ob sie noch etwas sagen wollte, es dann aber unterließ. Sie hörte ihre Schritte, die sich entfernten. Sie hörte die tiefe Befriedigung in den stapfenden Schritten.

Sie war allein. Die Waschküche war ungeheizt. Sie füllte entkalktes Wasser in das Dampfbügeleisen und schaltete es ein.

Sie hatte schon einmal so einen Berg von Wäsche bügeln müssen, frierend und allein. Am Tag nachdem Frau Doktor Schwarz eine Wahl verloren hatte. Damals hatte Irma geweint.

Heute würde sie das nicht tun.

Irma hatte eine Technik entwickelt, wie man zum Beispiel Hemden so vorfalten und dann darüberbügeln konnte, daß sie von außen ganz ordentlich aussahen. Erst wenn man sie auseinanderfaltete, sah man, daß sie gar nicht richtig sorgfältig gebügelt worden waren, sondern überall noch tiefe Falten und Knitter warfen. Das konnte sie die Stelle kosten, natürlich, aber darauf kam es jetzt nicht mehr an.

Sie hatte die Methode an all den Kunden ausprobiert, die nicht akzeptieren wollten, daß Irma nicht bügelte. Es hatte immer funktioniert. All ihre Kunden gaben die Bügelwäsche jetzt auswärts.

Das Bügeleisen war heiß. Sie hatte zu viel Wasser eingefüllt, es tropfte vorne heraus und zischte. Vorsichtig nahm sie das Bügeleisen in die Hand. Der bloße Anblick eines Bügeleisens, der trockene, heiße Geruch verursachten ihr heftige Übelkeit. Sie mußte dabei an Erich denken, der einen sehr häßlichen Unfall mit einem Bügeleisen gehabt hatte. Seither mochte sie kaum mehr eines anfassen. Aber jetzt mußte sie wohl.

Irma biß die Zähne zusammen und bügelte trotzig über die Säume hinaus.

Der Stapel schwand rasch. Rascher wohl, als Frau Doktor Schwarz angenommen hatte. Sie würde niemals damit rechnen, daß Irma vor dem Essen fertig wäre. Deshalb mußte sie es schaffen.

Irma machte das Schwierigste, die Hemden und Blusen, zuerst. Frau Doktor Schwarz besaß eine Menge Blusen, schlichte, ein wenig unmodische Modelle aus feinem Stoff, die sie mit aufgeklapptem Kragen unter einem Pullover oder einer Wolljacke trug.

Irma bügelte perfekte Falten in die Blusen.

Als sie zu der Bettwäsche kam, die weniger Konzentration erforderte, begann sie leise zu singen. Mit den Leintüchern hatte sie keine Schwierigkeiten. Irma hatte früher sehr gut gebügelt.

Um zwanzig nach zwölf öffnete Frau Doktor Schwarz die Türe, streckte den Kopf hinein und fand Irma aus vollem Halse singend und steppend vor dem Bügelbrett, auf dem der letzte kleine Kissenbezug lag.

Frau Doktor Schwarz stob herein, prüfte die Wäsche, die in sauberen, duftenden Stapeln bereitlag, und drehte sich dann zu Irma um, deren Gesang unterdessen verstummt war. Sie starrten sich in das Weiße der Augen, eine Übung, bei der Irma allein durch ihre Körpergröße meistens im Vorteil war.

Frau Doktor Schwarz ließ den Blick als erste abschweifen.

Beeilen Sie sich, zischte sie, ich möchte heute pünktlich essen!

Ich bin gleich fertig, antwortete Irma freundlich.

Bis zum Essen hatte sich Frau Doktor Schwarz wieder gefaßt. Irma ließ ihren Blick den Tisch entlang streichen und kam zum Schluß, daß die Kinder von nichts wußten. Es fiel ihr auf, daß Sibylle ihren Blick nicht von ihr wenden konnte. Die Kleine, die Nelly das Sandwich gebracht hatte. Das durfte sie nicht vergessen. Sie hatte vielleicht öfters heimlich nach Nelly geschaut, sie hatte vielleicht bemerkt, daß Nelly verschwunden war. Und die andern? Wußten sie überhaupt, was sich hinter der verschlossenen Tür verborgen hatte?

Wie fanden Sie denn die Vorstellung? wandte sich Frau Doktor Schwarz nun an sie.

Die Vorstellung! Irma zuckte zusammen.

Die Vorstellung, wiederholte sie. Nun, leider konnte ich nicht hingehen, da meine Großmutter sich nicht wohl fühlte.

Schweigen am Tisch.

Ich habe Ihnen doch erzählt, daß ich das Stück mit meiner Großmutter sehen wollte?

Frau Doktor Schwarz griff als erste wieder zu Messer und Gabel.

Wie schade, daß Sie die Karten verfallen ließen, meinte sie. Ich hätte natürlich andere gekannt, die sich gefreut hätten . . . Nun gut, ich hoffe nur, Ihre Großmutter fühlt sich jetzt wieder besser.

Nachdem sie die Küche aufgeräumt und geputzt hatte, ging Irma nach oben in den ersten Stock, betrat das Zimmer von Edith und setzte sich aufs Bett. Mit einem sicheren Griff fischte sie das Tagebuch unter dem Kopfkissen hervor. Diesmal untersuchte sie es gründlich, fand aber nirgendwo ein Haar oder eine andere Falle.

27. 11. Wir haben einen neuen Schüler in der Klasse, er heißt Tony und trägt einen langen Schal. Er hat mit niemandem gesprochen, außer mit Isabelle, das war in der Pause, und Eddy war total sauer. In der Biologiestunde hat er sich neben mich gesetzt! Das BESTE kommt aber noch! Ich habe Tony im TRAM gesehen. Er wohnt keine zweihundert Meter von hier. Sein Vater hat das Haus an der Ecke gekauft!!!

28. 11. Isabelle hat den Aufsatz vermasselt, was zu erwarten war, und ich habe die BESTE NOTE bekommen!!! Dr. F. hat meinen Aufsatz vorgelesen, er hat natürlich nicht gemerkt, daß ein Teil der Formulierungen von Tucholsky stammt, aber TONY hat mich von der Seite angeschaut und mit der Hand einen riesigen Bauch angedeutet!! Ich liebe ihn!!! Ich liebe ihn!!!

29. 11. Letzte Nacht haben Mama und Papa gestritten. Ich kann mich nicht erinnern, wann das das letzte Mal passiert ist. In meiner Klasse sind viele Kinder mit geschiedenen Eltern, aber die sind auch nicht so wie wir, ich glaube nicht, daß uns das passieren kann. Ich glaube höchstens, Mama wird allein in die Ferien fahren. Sibylle bereitet sich heimlich aufs Vortanzen für das Stipendium vor. Dabei weiß sie genau, daß Mama das nie erlauben würde!! Ich glaube wirklich, sie hat ihr nichts davon gesagt . . . Jemand MÜSSTE es ihr aber sagen.

Irma lächelte widerwillig anerkennend. Das kleine Biest!

Unten ging die Haustüre. Irma erstarrte einen Augenblick, schnell schob sie das Tagebuch wieder unter das Kopfkissen, bückte sich so, als ob sie die Laken glattstrich, und verharrte regungslos. Sie hörte eine schweren, schleppenden Schritt, der unmöglich Frau Doktor Schwarz gehören konnte. Irma wartete.

Der Schritt verharrte vor der offenen Türe. Irma zerrte an den tadellos glatten Laken.

Ach, hier sind Sie, sagte Herr Schwarz müde.

Scheinbar erschreckt fuhr Irma herum.

Oh, guten Tag, Herr Schwarz. Ich habe Sie gar nicht gehört!

Seine Augen starrten trübe hinter den Brillengläsern hervor. Seine Haare standen fettig und zerzaust vom Kopf. Sein Hemd hing zipfelweise aus der Hose. Irma trat einen Schritt näher.

Ist Ihnen nicht gut, fragte sie besorgt. Aus der Nähe konnte sie den Alkohol in seinem Atem riechen.

Er ging nicht darauf ein. Winkelte ein Bein an, stützte seine alte braune Ledermappe darauf und begann, ziellos darin zu wühlen und zu suchen.

Ich habe etwas für Sie, murmelte er, wo ist es denn gleich.

Irma lächelte erwartungsvoll.

Ach, hier!

Triumphierend zog er ein flaches, in goldenes Papier eingewickeltes Geschenk hervor.

Neugierig griff Irma danach.

Oh, vielen Dank, sagte sie atemlos und riß das goldene Papier in Streifen herunter.

Irma konnte sich nicht erinnern, wann sie das letztemal ein Geschenk geöffnet hatte. Es war ein Buch: der russische Roman, den sie auf seinem Nachttisch liegen gesehen hatte. Sie strahlte völlig ungeniert.

Vielen, vielen Dank!

Jetzt lächelte Herr Schwarz ein bißchen müde.

Ich habe festgestellt, daß Sie russische Romane mögen. Das hier ist eines meiner Lieblingsbücher.

Irma errötete nicht einmal. Sie preßte das Buch an ihre Brust. Herr Schwarz setzte seinen müden, traurigen Weg fort.

Sie hörte, wie er im oberen Stockwerk die Mappe fallen ließ und die Türe zuschlug. Sie stellte sich vor, wie er sich auf seinen Stuhl am Schreibtisch sinken ließ, den Arm ausstreckte, um mit letzter Kraft die oberste Schublade aufzuziehen und nach der eingewickelten Whiskyflasche zu greifen.

Nelly saß auf dem winzigen Balkon, dick in eine Steppdecke eingewickelt, Irmas Sonnenbrille auf der Nase, das Gesicht völlig unbewegt der schwachen Sonne entgegengereckt. Leise trat Irma hinter sie und legte eine Hand auf ihren Kopf. Nelly fuhr herum.

Ach, Sie sind es!

Zitternd atmete sie aus. Irmas Magen zog sich zusammen. Würde sie sich je erholen? Sie war noch nicht alt, sie konnte nicht viel älter als fünfundsiebzig sein, ein Alter, in dem andere noch auf Reisen gingen oder die Volkshochschule besuchten oder gar auf Berge kletterten.

Ich bringe sie um, sagte Irma laut.

Nelly verzog mißbilligend das Gesicht.

Irma setzte sich auf die Armlehne von dem Plastikstuhl, auf dem Nelly saß. Er ächzte gefährlich.

Vorsichtig legte Nelly eine Hand auf Irmas Arm und tätschelte ihn unkonzentriert.

Mir ist kalt, sagte sie dann. Können wir wieder hineingehen?

Die Sonne schien schon nicht mehr richtig.

Irma hob Nelly auf, mitsamt der Steppdecke und der Sonnenbrille und der Teetasse, und trug sie ins Wohnzimmer. Sanft ließ sie sie aufs Sofa sinken.

Dann zog sie ihre Jacke aus und hängte sie über einen Stuhl.

Sie kommen früh heute, sagte Nelly.

Ja. Irma schälte Nelly aus der Steppdecke und klappte die Sonnenbrille zusammen.

Waren Sie noch nicht einkaufen, fragte Nelly.

Nein. Ich gehe später.

Gedankenverloren nahm Irma ihren linken Fuß in die Hand und streckte das Bein zur Decke.

Nelly musterte sie schweigend.

Ich möchte mitkommen, sagte sie schließlich. Zum Einkaufen, meine ich.

Irma ließ ihren Fuß wieder los.

Sie sind noch zu schwach, sagte sie, und ich habe keinen Wagen. Sagen Sie mir doch einfach, was Sie brauchen.

Nelly preßte die Lippen zusammen.

Ich möchte eigene Kleider haben, gestand sie schließlich.

Nicht, daß mir Ihre Sachen nicht gefallen, aber . . . ich bin es nicht gewohnt.

Irma konnte einen Moment lang nicht antworten. Daß sie daran nicht gedacht hatte!

Ich habe gar nichts mehr, sagte Nelly, gar nichts Eigenes, verstehen Sie.

Irma nickte.

Machen Sie uns doch noch einen Tee, schlug Nelly vor.

Und als Irma die Tassen auf den Tisch stellte und vorsichtig einschenkte, fragte sie ganz beiläufig:

Wen wollen Sie umbringen, Liebes?

Irma ließ die Teekanne hart auf den Tisch schlagen.

Sie! stieß sie hervor.

Sie?

Frau Doktor Schwarz! Ihre Schwiegertochter! Die, die Ihnen das angetan hat.

Nelly spitzte die Lippen und pustete sachte in ihre Teetasse. Vorsichtig trank sie ein winziges Schlückchen. Dann stellte sie die Tasse wieder ab.

Haben Sie denn schon einmal jemanden umgebracht, fragte sie dann, nur gerade höflich interessiert.

Irma senkte den Kopf.

Ich auch, sagte Nelly ruhig.

Irmas Kopf fuhr hoch.

Das glaube ich nicht.

Nelly lächelte freundlich, als hätte das keine weitere Bedeutung.

Das geht zu schnell, sagte sie, das tut niemandem weh. Nein, das müssen wir schon anders anpacken. Ich habe mir da ein paar Gedanken gemacht.

Und sie faßte in die Falten des hellblauen Ballettjäckchens und zog das kleine, hübsch gebundene Büchlein hervor, das Irma in ihren Lumpen gefunden hatte.

Nelly hob das Büchlein hoch.

Das hatte ich die ganze Zeit bei mir.

Irma zündete sich eine Zigarette an und drückte sie gleich wieder aus, als sie Nellys Blick unter zusammengezogenen Augenbrauen traf.

Nelly schlug das Büchlein auf und hielt es mit beiden Händen in ihren Schoß. Sie sah Irma ernst an.

Sie soll richtig leiden, sagte sie, nicht nur sterben. Das wäre zu leicht.

Dann las sie emotionslos aus ihrem Büchlein vor, eine Liste von Dingen, die Frau Doktor Schwarz am Herzen lagen und die es zu zerstören galt.

Ihren Ruf.

Ihre politische Karriere.

Ihre Familie.

Besonders die Söhne, die galten ihr mehr.

Ihren Garten.

Der Garten, entfuhr es Irma, verdammt, daß ich daran nicht gedacht habe!!

Sie tauschten einen tiefen Blick. Nelly lächelte und drückte Irmas Hand.

Sie sind ein gutes Mädchen, sagte sie leise. Ich möchte, daß wir uns duzen. Ich heiße Nelly.

Irma stiegen Tränen in die Augen, die sie ungeschickt wegwischte.

Irma, flüsterte sie und drückte feierlich Nellys Hand.

Irma bestellte ein Taxi.

Wir gehen Kleider kaufen, sagte sie zu Nelly, und nachher erkläre ich dir alles. Nelly nannte den Namen eines traditionsreichen Damenoberbekleidungsgeschäftes. Sie dachten beide nicht daran, daß man sich dort an sie erinnern könnte. Ohne etwas anzuprobieren, dazu reichte ihre Kraft nicht, suchte sie sich zwei schmale Röcke aus, hellgrau und blau, ein paar Blusen und ein gepunktetes Kleid mit bauschigen Ärmeln. Irma zahlte mit einer Karte.

Sie kaufte noch eine kleine, einfache Brosche, die man, ähnlich wie eine Krawattennadel, schräg über die Knopfleiste der Bluse stecken konnte, und schenkte sie Nelly, die gerührt lächelte.

Ich will nach Hause, sagte sie, ich bin müde. Im Taxi faßte sie immer wieder mit der Hand in die Plastiktüten, die auf ihrem Schoß lagen, und befühlte das knisternde Seidenpapier, die weichen Stoffe.

Vier

Es war kurz vor zehn, als Irma durch den Torbogen in der Altstadt ging, hinter dem das niedrige Atelier der Gigers lag.

Hände hoch!

Sie blieb stehen. Etwas Hartes bohrte sich in ihr Kreuz. Ihre Schulterblätter lagen wohl zu hoch für einen Dreizehnjährigen. Sie drehte sich um.

Eugen!

Er hielt eine sehr echt aussehende Pistole in der Hand. Was hast du da?

Er antwortete nicht. Hinter den Fenstern bewegte sich ein Vorhang.

Ich sehe dich nachher, flüsterte Eugen, ich habe etwas für dich.

Schon öffnete sich das Fenster.

Eugen, rief eine hohe Stimme, Eugen, lauf nicht weg!

Eugen warf einen Blick auf Irmas lange, rot und schwarz gemusterten Beine. Dann verschwand er lautlos.

Eugen, rief die Stimme wieder, Eugen!

Irma ging auf das Gebäude zu. In dem ehemaligen Schneideratelier hatten sich Selma und Hans Giger, sie Journalistin, er Photograph, ein wunderschönes, geräumiges Loft eingerichtet. Selma Giger öffnete die Tür, einen Augenblick bevor Irma klingeln konnte. Guten Morgen, sagte sie atemlos, haben Sie Eugen gesehen?

Eben war er noch da, sagte Irma und schob sich an Selma vorbei ins Haus. Sie zog ihre Jacke aus und ihre Schuhe und schlüpfte in ein Paar alte Ballettschlarpen, die sie in einer Plastiktüte mitgebracht hatte. Selma schwirrte aufgeregt um sie herum. Sie war klein, rundlich, nervös. Dünne Haare von seltsam rötlichgrauer Farbe, Ergebnis mehrerer mißglückter Selbstversuche mit Henna, fielen fransig um ihr Gesicht. Selma war um die Vierzig, schüchtern, schusselig und von ihrem schlechten Gewissen beherrscht. Irma hatte immer noch Mühe zu glauben, daß dieselbe Frau diese scharfen und witzigen Artikel schrieb, die sie manchmal in großen, auch ausländischen Zeitungen las. Selma hatte ein schlechtes Gewissen, weil sie erfolgreich war, weil sie Geld verdiente, weil sie sich eine Putzfrau leistete, weil ihr Adoptivsohn, der dreizehnjährige Eugen, ein Monster war und sie ihn nicht verstehen konnte.

Es liegt bestimmt daran, daß ich zuwenig Zeit für ihn habe, murmelte sie und ließ sich auf ein altes, mit rotem Samt bezogenes Sofa sinken, das nahe an der Türe aufgebaut war. Irma tätschelte vorsichtig ihre Schulter.

Der Kleine ist schon in Ordnung, machen Sie sich keine Sorgen.

Selma hob den Kopf. Denken Sie das wirklich?

Aber ja.

Sie sind nett, Irma!

Selma lächelte und rückte ihre Brille gerade. An diesem Morgen trug sie ein schmetterlingsförmiges Modell mit Straßsplittern, alt.

Mögen Sie einen Kaffee? Ich habe sowieso gerade welchen gemacht, er ist noch ganz heiß.

Danke, ich habe schon gefrühstückt. Ich fange lieber gleich an.

Ja dann . . . Selma lächelte unsicher. Sie konnte doch wohl nicht einfach Kaffee trinken, während die junge Frau arbeitete? Oder doch?

Irma verzog den Mund. Die Journalistin weckte gemischte Gefühle in ihr, gereizte und mütterliche Instinkte.

Ich fange mit dem Bad an, sagte sie etwas ungeduldig. Dann können Sie in Ruhe frühstücken.

Im Badezimmer wartete Eugen auf sie. Er kauerte auf dem Klodeckel, ganz angezogen, die Füße auf der Brille. Er trug schmuddelige Turnschuhe ohne Schnürsenkel. Seine drahtig gelockten Haare standen nach allen Seiten vom Kopf ab. Er war wohl gerade dabei, sie sich wachsen zu lassen. Seine zu große Hose und das ausgeleierte Kapuzen-T-Shirt wirkten billig und nicht ganz sauber. Irma zog leise die Türe hinter sich zu.

Hast du eine Zigarette?

Sie zögerte.

Draußen, in meiner Tasche, antwortete sie, nicht ganz wahrheitsgetreu.

Er verzog unwillig den Mund. Runzelte die Stirn.

Schau mal, was ich hier habe, sagte er mit verschwörerischer Stimme. Streckte ihr die offene Handfläche entgegen, auf der drei weißrote Kapseln lagen.

Was ist das, fragte Irma mißtrauisch.

Schlankheitspillen, flüsterte der Kleine.

Schlankheitspillen? Irma runzelte die Stirn. Was soll ich denn damit? Schau mich doch an!

Irma war breitschultrig und knochig gebaut. Sie versuchte, ein bißchen runder zu werden, ein bißchen weicher. Bei ihrer Größe war das beinahe unmöglich.

Der Junge zog die Nase hoch und musterte sie aufmerksam. Sein Blick glitt langsam an ihrem Körper entlang von oben nach unten. Dann zuckte er mit den Schultern.

Es ist ja nicht deswegen, sagte er, aber die Dinger machen dich ganz . . .

Irma zögerte. Dann schüttelte sie den Kopf.

Hast du nichts anderes?

Er musterte sie ein bißchen verächtlich.

Alkohol, meinst du.

Alkohol. Sie nickte.

Er griff hinter sich und förderte zwei Flaschen Champagner zutage, Jahrgangschampagner, den sie sich niemals leisten könnte. Irma liebte Champagner.

Wieviel?

Er nannte einen vergleichsweise lächerlichen Preis. Das ging schon eine Weile so, daß er ihr Schätze aus dem adoptivelterlichen Weinkeller verkaufte. Da die Flaschen nie an dem Tag vermißt wurden, an dem Irma kam, konnte sie auch nicht verdächtigt werden. So kam sie günstig an auserlesene Getränke, manchmal auch Parfüms, Lippenstifte oder neue Strumpfhosen. Selma bekam oft Werbegeschenke von irgendwelchen Firmen, die sie in ihren Schränken hortete. Genaugenommen stammten auch die schwarzroten Strümpfe, die Irma an diesem Morgen trug, aus Selmas Beständen. Irma grinste in den Spiegel. Ach so! Deshalb also der bewundernde Blick auf ihre Beine!

Eugen versteckte die Flaschen wieder hinter dem Klo, und Irma begann, sorgfältig den Spiegel abzureiben. Als sie sah, daß Eugen einfach sitzen blieb und keine Anstalten machte zu gehen, lächelte sie ihm im Spiegel zu. Sie hätte schwören können, daß er errötete, obwohl das bei seiner dunklen Hautfarbe nicht eindeutig festzustellen war. Die Augen senkte er nicht. Irma rieb die Hähne blank und verließ das Badezimmer mit einem freundlichen Nikken. Eugen blieb regungslos sitzen und starrte ihr nach.

Das ehemalige Fabrikgebäude war durch halbhohe Fensterwände in scheinbar einzelne Räume unterteilt. Links von der Eingangstüre befanden sich Küche und Eßraum, rechts das Bad, dann ein riesiges Schlaf- und Wohngelände, ganz hinten dann, noch einmal so groß, das Atelier von Hans Giger. Nur für Eugen hatten sie zwischen dem Wohnraum und dem Atelier ein Zimmer abtrennen lassen, zwölf Quadratmeter, niedere Decke, ein winziges Fenster, ein solider, häßlicher, weißer Würfel und abschließbar. In seinem Zimmer hatte Eugen ein Indianerzelt aufgebaut. So war er doppelt sicher. Das Geräusch der Türe warnte ihn rechtzeitig, was immer er gerade tat, und das war auch gut so, denn er tat selten etwas, dem seine Eltern ungerührt hätten zusehen können. Irma hatte noch nie einen Blick in das Zelt geworfen, er hatte es ihr bei Todesstrafe verboten, und sie hielt sich daran. Sie putzte nur vorsichtig darum herum.

Irma schleppte den schweren, altmodischen Staubsauger langsam durch die Räume, vorsichtig blickte sie sich um. Hier konnte man nie wissen, ob nicht plötzlich hinter einer Stellwand ein Gesicht auftauchte. Man war nie sicher, allein zu sein. Sie konnte verstehen, daß Eugen seine Eltern beim Umzug so lange terrorisiert hatte, bis sie ihm ein eigenes Zimmer hatten bauen lassen. Obwohl der Einbau des Zimmerwürfels die Ästhetik des Raumes natürlich unwiederbringlich zerstört hatte. Irma grinste. Eugen mußte das auch gewußt haben.

In der Arbeitsecke saß Selma vor ihrem Computer. Sie hatte jetzt eine grüne Brille aufgesetzt. Wie hypnotisiert starrte sie auf den flimmernden Bildschirm. Als sie Irmas Schritte hörte, sprang sie schuldbewußt auf.

Oh, Irma, stotterte sie, was machen Sie denn mit dem Staubsauger, ist der nicht zu schwer für Sie?

Irma lächelte ein bißchen gezwungen.

Ich fange an zu putzen, sagte sie freundlich, erinnern Sie sich? Sie bezahlen mich dafür.

Ja, aber . . .

Selmas Gesicht legte sich in unglückliche Falten.

Ich helfe Ihnen! bot sie eifrig an.

Selma! Bitte! Sie tun Ihre Arbeit und ich meine!

Beinahe hätte Irma sie an den Schreibtisch zurückgeschubst. Wahrscheinlich war es das, was Selma von ihr erwartete. Sie drehte sich um. Hinter ihr setzte ganz plötzlich das inspirierte Klicken der Tastatur ein.

Irma zog den Staubsauger bis ins Atelier, das offenbar leer war. Sie steckte den Staubsauger ein und stellte ihn an. Der Parkettboden war mit abgewetzten, erinnerungsbeladenen Teppichfetzen belegt, die sich unter der Staubsaugerbürste widerspenstig rollten. Irma hielt den Kopf gesenkt. Das Photo-Atelier gehörte zu den wenigen Räumen überhaupt, die sie nicht interessierten. Zwei alte, schäbige Ledersofas, ein paar traurige Palmen in großen Töpfen, ein billiger Tisch, hohe, helle Lampen. Viele Fenster, die sie aber nicht selber putzen mußte. Als sie mit dem Staubsauger um eines der Sofas herumkurvte, tauchte plötzlich der Kopf von Hans Giger über der Lehne auf.

Er hatte offenbar geschlafen. Irma schaltete den Staubsauger aus.

Hans blinzelte verwirrt und rückte seine Brille gerade.

Irma, murmelte er, wie spät ist es?

Gleich elf, sagte sie.

Elf? Morgens?

Was denken Sie? Ich arbeite nachts?

Oh, ich . . . ich habe durchgearbeitet. Ich muß wohl eingeschlafen sein.

Sieht so aus. Soll ich später wiederkommen?

Nein nein nein. Bleiben Sie.

Irma zuckte mit den Schultern und schaltete den Staubsauger wieder ein. Umsichtig kurvte sie um die schweren Palmentöpfe. Sie versuchte nicht einmal, unauffällig einen Blick auf den Schreibtisch zu erhaschen. Sie wußte schon seit langem, daß er nur aus Gründen der Raumaufteilung da stand und abgesehen von Telefonnummern von Fotomodellen keine Geheimnisse barg.

Es klickte einmal, zweimal, dreimal.

Als sie sich umdrehte, stand Hans direkt hinter ihr, das Objektiv auf sie gerichtet. Sie erstarrte. Einen halben Augenblick später hatte sie die Hand hochgerissen und ihm die Kamera vor dem Gesicht weggeschlagen. Krachend schlug sie auf dem sauberen Parkettboden auf und schlitterte gegen einen Palmenkübel.

Sind Sie denn wahnsinnig geworden, schrie Hans, das war eine Leica!!

Schon sank er in die Knie und rutschte auf dem Boden herum, um die Kamera und allfällige Einzelteile aufzuheben.

Irma preßte die Lippen aufeinander.

Paßen Sie halt besser darauf auf, murrte sie.

Hans schien sie nicht zu hören. Sanft betastete er die

Kamera, drehte sie zwischen den Fingern und pustete imaginäre Stäubchen weg.

Scheint soweit in Ordnung, murmelte er erleichtert. Diese alten Kästen halten schon was aus.

Irma nickte mechanisch. Dann riß sie den Stecker aus der Steckdose, stampfte mit dem Fuß auf den Schalter, der das lange Kabel hereinschletzte wie eine nasse Nudel in einen hungrigen Mund.

Hans blinzelte erstaunt hinter seiner dünnrandigen Brille.

Sie sind doch nicht etwa wütend, oder?

Sie starrte ihn nur an.

Hans zuckte mit den Schultern, ungerührt, verständnislos.

Ich bin Photograph, sagte er, ich photographiere, etwas anderes können Sie doch von mir nicht erwarten. Und Sie waren gerade so . . .

Seine lange Hand deutete einen unbestimmten Schlenker durch den Raum an. Irma hielt einen Fuß auf den Staubsauger wie auf ein erlegtes Tier.

Hans drehte die Kamera in den Händen.

Sie wissen doch, holte er aus, es gibt Menschen, die glauben, beim Photographieren würde ihnen die Seele gestohlen . . .

Er machte eine effektvolle Pause.

Und? stieß Irma hervor.

Und? Sie haben recht. Genau so ist es. Ein guter Photograph stiehlt immer etwas.

Irma bückte sich nach dem Staubsauger. Über die Schulter warf sie einen matten, unendlich verächtlichen Blick.

Ein GUTER Photograph, wiederholte sie. Ja.

Mit diesen Worten wandte sie sich um. Den Staubsauger schleifte sie hinter sich her.

Hans starrte ihr mit offenem Mund nach.

Aber . . . was erlauben Sie sich . . . stammelte er. Ich bin schließlich ein anerkannter . . . mehrfach ausgezeichneter . . .

Ist irgend etwas? Selma blickte ängstlich von ihrem Computer auf.

Nichts, sagte Irma knapp.

Ich habe Stimmen gehört. Mein Mann . . .

Keine Sorge. Im Atelier bin ich fertig.

Das ist schön. Selma zögerte, nahm ihre Brille ab und kaute unentschlossen auf dem Bügel herum. Aber . . . Sie sollten ihn nicht ärgern. Er arbeitet sehr hart.

Selma, ich habe ihn nicht geärgert.

Vielleicht sollte ich doch schnell nachsehen.

Zögernd erhob sie sich.

Tun Sie das. Irma stieß mit dem Fuß leicht gegen den Staubsauger. Ich mache unterdessen hier weiter, dann können Sie nachher ungestört arbeiten.

Danke.

Selma lächelte schüchtern. Es schien, als wollte sie noch etwas sagen, doch dann drehte sie sich um und prallte mit ihrem weichen, kleinen Körper gegen einen kunstvoll übersprayten Paravent, der scheppernd hinfiel.

Oh, Entschuldigung, murmelte sie verstört und setzte ihren Weg fort.

Schon gut.

Irma stellte den Paravent wieder auf.

Selma und Hans verließen wenig später das Haus, um an einer Demonstration teilzunehmen. Er würde photographieren, sie würde darüber schreiben.

Ich freue mich so, daß wir wieder einmal zusammen arbeiten, sagte Selma strahlend und schob ihren Arm unter den von Hans. In der Türe drehte sie sich noch einmal um:

Oh, Irma! rief sie. Sie müssen doch etwas essen!

Was soll ich denn ...

Bestellen Sie für sich und den Jungen eine Pizza, knurrte Hans und zog Selma weiter.

Ja, sagte Irma.

Aber zuerst würde sie sich ein Glas Wein einschenken und sich durch die Illustrierten lesen, die sich auf dem Boden stapelten, ordentlich stapelten, denn sie hatte ihre Arbeit getan. Im Wohnteil standen nicht weniger als sechs alte Sofas mit geschwungenen Lehnen, in verschiedenen Rot- und Rosatönen neu überzogen. Irma ging mit ihrem Weinglas in der Hand auf das längste und bequemste zu, legte sich hin und streckte die Hand nach dem obersten Heft auf dem Stapel aus.

Das Heft war schwer und großformatig, mühselig blätterte Irma die Seiten um, betrachtete die spektakulären Bilder. Unbeteiligt huschten ihre Augen die japanischen Schriftzeichen entlang. In diesem Haus fanden sich immer die exotischsten und teuersten Magazine, das war mit ein Grund, warum sie hierherkam. Abgesehen davon, daß sie sich nicht vorzustellen wagte, wie Selma ohne sie auskommen sollte. Und dann war da noch Eugen.

Lautlos schlich sich Eugen an. Er legte eine Hand auf ihr Bein. Irma fuhr hoch. Sein Blick war dunkel.

Irma lächelte.

Wieviel schulde ich dir für den Champagner?

Eugen zögerte.

Hundert.

Hundert? Hast du nicht gesagt, achtzig?

Er zuckte mit den Schultern.

Eugen! Irma legte den Kopf schief. Was ist los mit dir?

Er holte tief Luft.

Also gut, achtzig, wenn du mich . . . er schluckte.

Wenn ich was.

Er schluckte noch einmal. Er faltete die Hände und holte tief Luft.

Kannst du küssen? fragte er schnell. Ich meine richtig?

Eugen!!

Er kniete jetzt vor dem Sofa. Nicht bittend. Er hatte sich wieder gefangen.

Es ist nur, weil ich es bis morgen wissen muß, sagte er ruhig, als handelte es sich um eine besonders lästige Hausaufgabe.

Irma zögerte.

Er rutschte noch näher, noch näher, dann nahm er ihr Gesicht zwischen die Hände. Er sah sie immer noch an. Er beugte sich über sie. Plötzlich drückte er seine Lippen auf ihre. Sie gab einen erstickten Laut von sich. Er öffnete die Lippen. Seine Zunge schlug gegen ihre Zähne.

Sie riß sich los und sprang auf.

Eugen! rief sie, völlig außer sich, Eugen, was fällt dir ein?!

Er stand auf, schob die Hände in die Hosentaschen.

Das war aber noch gar nichts, sagte er. Das war kein richtiger Kuß.

Dann drehte er sich um und ging hinaus. Sie blieb auf dem Sofa sitzen, bis sie vom kalten Luftzug fröstelte. Er hatte die Türe offenstehen gelassen. Sie rieb sich über die Arme, dann stand sie langsam auf.

Sie kniete sich vor den Kühlschrank und nahm alles mögliche heraus: ein Glas Mayonnaise, saure Gurken, Käse. Sie legte sich zurück auf das Sofa. So aß sie am liebsten: allein, liegend, abgelenkt, in einer Illustrierten blätternd, mit fettigen Fingern und glänzendem Kinn. Davon würde sie garantiert keine Magenkrämpfe bekommen.

Fünf

Irma räumte die Küche auf und stopfte die leere Weißweinflasche ganz zuunterst in den Abfallsack. Hatte sie wirklich die ganze Flasche ausgetrunken? War es möglich, daß das Glas mit Mayonnaise beinahe leer war? Von hinten legte sich eine warme Hand auf ihre Hüfte. Sie fuhr herum. Es war Eugen. Ja, natürlich, Eugen. Kein Grund, so zu zittern. Hallo Eugen, sagte Irma betont freundlich und kumpelhaft, hallo Eugen, sie traf genau den Tonfall dieser netten jungen Leute von der Kindersendung im Fernsehen. Eugen verzog das Gesicht.

Irma drehte sich wieder um und fuhr fort, absolut saubere Schüsselchen unter das heiße Wasser zu halten. Nicht, weil sie hoffte, Eugen täuschen zu können, was ihre Arbeit anging. Sie wollte ganz einfach ihre Hände beschäftigen. Die völlig unbegründet plötzlich zu flattern begonnen hatten.

Eugen faßte über sie hinweg, drehte das heiße Wasser ab und zog sie an sich. Er war kleiner als sie, aber wer war das nicht. Er schloß die Augen, neigte den Kopf. Er küßte sie vorsichtig, aber richtig, absolut richtig. Als er sie losließ, fiel sie gegen das Waschbecken. Sie hielt sich mit beiden Händen an dem nassen Steinbord fest.

Selma kam allein nach Hause. Sie hatte offenbar getrunken.

Hallo, wie war es? rief Irma freundlich.

Irma! Selma schwirrte herein. Mein Gott, sind Sie immer noch da? Es war furchtbar. Ich hätte überhaupt nicht hingehen dürfen. Sie müssen sofort gehen.

Irma war verwirrt. Ich bleibe immer bis fünf, wissen Sie nicht mehr? Außerdem bin ich letzte Woche schon nicht gekommen, erinnern Sie sich?

Mein Gott. Selma seufzte. Ich muß diesen Artikel heute noch fertigmachen.

Irma sah, daß sie sogar den Bügel ihrer roten Brille angenagt hatte, die an einer Schnur um ihren Hals hing. Die Arbeitsbrille. Irma lächelte.

Ich mache das Bad fertig. Dann hören Sie mich nicht.

Selma sah sie an.

Irma, Sie wissen doch, daß bei all der Aufregung meine Verdauung völlig durcheinanderkommt. Was ist, wenn ich plötzlich aufs Klo muß?

Ich werde Sie natürlich hereinlassen, sagte Irma ganz ernst. Sie hatte kaum angefangen, pro forma ein bißchen Fensterputzmittel auf den Spiegel zu sprühen, als sich leise die Türe öffnete und Eugen hereinkam.

Irma sah starr in den Spiegel. Eugen hatte seine Jacke angezogen. An seinem Gürtel hing ein Walkman.

Ich bin gleich fertig, murmelte Irma. Mit ihrer Stimme war etwas nicht in Ordnung.

Ich muß jetzt gehen, sagte er. Er setzte den Kopfhörer auf und bewegte den Kopf hin und her. Er stand hinter ihr. Ihre Blicke trafen sich im Spiegel. Da fiel ihr etwas ein.

Eugen, sagte sie, darf ich dich etwas fragen?

Er nickte leicht.

In welche Schule gehst du eigentlich?

Er verzog das Gesicht.

Ich meine nur, sie begann zu stottern, ich meine nur, kennst du jemanden von den Schwarzens?

Er atmete langsam aus.

Edith, sagte er, Edith ist in meiner Klasse. Blöde Kuh. Streberin.

Irma nickte. Sie preßte die Lippen aufeinander und kaute unschlüssig darauf herum.

Was ist mit ihr? fragte Eugen schließlich.

Nichts, nichts.

Eugen stand immer noch hinter ihr. Er stand dicht hinter ihr. Beinahe berührte er ihren Rücken. Sie konnte die Millimeter fühlen, die zwischen ihnen lagen.

Es ist ihre Familie, sagte sie schließlich etwas lahm, ihre Brüder, sie gehen mir auf die Nerven.

Eugen faßte ihre Schultern links und rechts und drückte sie kurz zusammen.

Sie sollen dir nicht mehr lange auf die Nerven gehen, Prinzessin, sagte er etwas theatralisch, aber er meinte es ernst. Ganz offensichtlich. Er ließ Irmas Schultern los und ging ohne ein weiteres Wort aus dem Badezimmer.

Sie hörte Türen schlagen.

Da ging er, der junge schwarze Held. Der sehr junge Held.

Irma brauchte eine Weile, bis sie imstande war, das Waschbecken fertigzuputzen und den Spiegel blank zu reiben. Sie schüttete ein scharf riechendes Entkalkungsmittel in die Badewanne, als es leise und verzweifelt klopfte.

Irma öffnete die Tür. Selma stand da, dem Zusammenbruch nahe, blaß, verschwitzt, eine Hand auf den Bauch gepreßt.

Irma öffnete die Türe ganz und ließ sie herein.

Irma lächelte. Sie ging zum Computer, um den Artikel zu lesen, den Selma heute abgeben mußte.

Die vergessenen Alten (Arbeitstitel)

Irma rutschte auf den Hocker, der vor dem Computer stand, und begann den Artikel zu lesen. Es handelte von Menschen im Altersheim, die nie Besuch bekamen und vom Personal schikaniert wurden. Genau das Richtige für die drohende Weihnachtszeit. Irma hörte auf zu lesen, als sie das Geräusch der Wasserspülung hörte. Sie drückte eine Taste: Löschen.

Der Computer begann zu blinken und zu rattern und zu piepsen. Irma floh in die Küche, setzte sich an den Tisch, schenkte sich eine Tasse Kaffee ein, riß die Zeitung zu sich heran und wartete.

Kurz darauf hörte sie einen gellenden Schrei. Sie hätte beinahe die Tasse fallen gelassen. Obwohl sie darauf gefaßt gewesen war. Sie sprang auf und lief hinüber zu Selma. Selma lag mehr vor dem Computer, als daß sie saß. Verzweifelt hackte sie auf den Tasten herum. Der Bildschirm zeigte sich ungerührt schwarz und leer.

Selma weinte.

Das darf doch nicht wahr sein. Bitte, das darf doch einfach nicht wahr sein.

Was ist passiert, fragte Irma. Ihr Herz klopfte.

Mein Artikel, weinte Selma und deutete mit der Hand auf den leeren Bildschirm. Irma ging neben ihr in die Knie und versuchte nun selber, den Artikel zurückzuholen, was natürlich nicht gelang.

Verdammt, sagte sie streng, ich habe Ihnen doch gesagt, Sie sollten immer alles sichern, bevor Sie auch nur aufstehen!

Ich weiß, schluchzte Selma, ich weiß.

Das mußte ja einmal passieren!

Aber nicht heute! Ich war doch schon beinahe fertig!

Aber Sie haben doch bestimmt eine Kopie.

Irma hielt den Atem an.

Nein, weinte Selma, nichts!

Irma stand auf.

Ich hole Ihnen einen Schnaps.

Als sie mit der eisgekühlten Wodkaflasche und den kleinen Gläsern zurückkam, kauerte Selma am Boden, die Beine angezogen, die Arme um die Unterschenkel und den Kopf auf die Knie gelegt, und schaukelte sanft hin und her.

Irma schämte sich keinen Augenblick. Sie würde Selma retten und sich selbst.

Hier, trinken Sie einen Schluck, sagte sie sanft und stupste die eine Schulter an. Selma hob ein jammertriefendes Gesicht.

Danke, schniefte sie und leerte das Glas in einem Zug. Irma nippte nur an ihrem. Sie mußte schließlich den Überblick bewahren. Worum ging es denn in Ihrem Artikel, fragte sie vorsichtig.

Um . . . Altersheime . . . Menschen im Altersheim . . . Hmmmm.

Irma drehte das winzige Glas zwischen den Fingern und bemühte sich, Selma nicht anzuschauen.

Da fällt mir eine Geschichte ein, können Sie sich das vorstellen? Ich kenne eine alte Frau, die wurde von ihrer Familie in einem Kellerloch gehalten. Jahrelang.

In einem Kellerloch?

Selma richtete sich auf und zog die Nase hoch.

Ja, weil das Altersheim zu teuer war, oder was weiß ich.

Selma war noch nicht überzeugt.

Und Sie sagen, Sie kennen diese Frau?

Irma nickte.

Wäre es möglich, mit ihr zu sprechen?

In Selmas Kopf tickerte es hörbar. Mit dieser Geschichte könnte sie den zuständigen Redaktor besänftigen und ein paar zusätzliche Tage herausschinden. Mindestens.

Irma tat, als müßte sie sich das noch überlegen.

Ich weiß nicht . . . die Frau ist ein bißchen verwirrt . . . sie hat natürlich Angst . . .

Angst?

Automatisch faßte Selma hinter sich, wo sie einen Notizblock und einen Schreiber vermutete. Sie setzte ihre Brille wieder auf, schob sich das Ende des Schreibers in den Mund und sah Irma aufmerksam an. Nichts Schußliges, nichts Verwirrtes, nichts Tapsiges war jetzt mehr an ihr. Sie hatte einen durch und durch emotionslosen, sehr konzentrierten Blick, der Irma nervös machte. Sie hatte sich mehr als einmal vorgenommen, Selma Giger nicht zu unterschätzen, aber das fiel nicht ganz leicht bei ihrem alltäglichen Benehmen.

Plötzlich ein wenig eingeschüchtert, erzählte Irma:

Es ist eine heikle Sache. Die Frau kommt aus einer bekannten Familie . . . ich meine, ihre Schwiegertochter ist relativ bekannt.

Sie fühlte, wie Selmas Körper sich spannte. Der Filzschreiber fuhr quietschend über das Papier.

Weiter, sagte Selma.

Die Schwiegertochter . . . sie ist wirklich die letzte Person, der man so etwas zutrauen würde, also, statt die alte Dame ins Altersheim zu stecken, hat sie sie in einem Verschlag im Keller gehalten. Sie lag auf einer feuchten, schmutzigen Matratze und aß aus Konservendosen. Niemand weiß genau wie lange.

Und wo ist die alte Frau jetzt?

Jemand hat sie gefunden . . . der Großneffe, ein Freund von mir . . . er hat sie gefunden und an einen sicheren Ort gebracht. Er ist . . . er ist ein Idealist.

Hm.

Selma malte jetzt kleine Häuschen auf ihren Block.

Wenn ich die alte Dame treffen kann, mit ihr reden, über sie schreiben, dann bin ich gerettet. Himmel, was für eine Geschichte!

Irma zögerte scheinbar.

Es ist nur so, sie ist erst seit wenigen Wochen draußen und ziemlich schwach, und sie hat furchtbare Angst, ihre Familie könnte sie finden. Niemand darf wissen, wer sie ist, wie sie heißt und wo sie im Moment lebt.

Hm.

Ihr Freund . . . sagte Selma langsam, und Irma fragte sich, ob sie das Wort Freund nicht irgendwie besonders betonte, Ihr Freund, sagte Selma, sollte zur Polizei gehen . . .

Irma riß den Kopf hoch.

Und dann? Kommt die Alte in ein Heim, wenn die Schwiegertochter sie nicht vorher umbringt!

Selma legte den Filzstift hin.

Irma fuhr heftig fort:

Wenn Sie mit ihr reden wollen, müssen Sie sich an die Bedingungen halten. Keine Namen, keine Bilder, keine Angaben über ihren Aufenthaltsort.

Selma nickte. Schwerfällig erhob sie sich.

Ich werde gleich den Redaktor anrufen, sagte sie. Als sie zurückkam, war sie wieder die Selma, die Irma kannte.

Wunderbar, rief sie, er ist ganz hingerissen. Trinken wir noch ein Glas!

Sie hob die Flasche, um die Gläser neu aufzufüllen, diese winzig kleinen Gläser, und goß dabei eine lange Wodkaspur über den Parkettboden und ihre runden Schenkel.

Irma wurde sofort nach Hause geschickt, um eine Begegnung zu organisieren.

Als sie den Hof überquerte, sah sie Eugen, der mit einem anderen Burschen geheimnisvolle Umschläge tauschte, einen großen gelben gegen einen kleinen weißen. Vorsichtige Blicke, Tuscheln, Köpfe zusammenstecken. Irma unterdrückte ein Grinsen. Der Bengel verkaufte Aktaufnahmen aus dem Archiv seines Vaters an seine Schulkameraden.

Eugen sah über die Schulter. Er sah sie an. Irma ging über den Hof. Sie sah auf ihre großen Füße in schwarzen Schnallenschuhen. Mit einem Fuß stieß sie gegen einen Stein. Dann drehte sie sich um und rannte durchs Tor hinaus auf die Straße.

Erst an der Tramhaltestelle blieb sie keuchend stehen. Es war noch früh. Sie sah ihre Haare glänzen in den Schaufensterscheiben, sie trug zwei Flaschen Jahrgangschampagner in einer alten Plastiktüte mit sich. Was sollte sie mit alldem anfangen?

Sie trank eine der beiden Flaschen auf einer Bank am Flußufer sitzend, fröstelnd. Trotz ihrer lang ausgestreckten, rotschwarz gemusterten Beine wurde sie nicht angepöbelt. Eine Masse schwarzer Gedanken lag um sie. Sie trank direkt aus der Flasche, der Schaum rann ihr übers Kinn, sie wischte ihn mit dem Jackenärmel ab. Ihre Nase lief. Sie zog sie geräuschvoll hoch. Sie stellte sich vor, wie sie an der Bank festfrieren würde. Sie blieb sitzen und starrte auf das graue Wasser. Sie beobachtete die fetten Enten, die träge im Kreis herumtuckerten. Sie versuchte mit einem Blick eine von ihnen zu ertränken.

Erich, dachte sie, warum hast du mich verlassen.

Hier sitze ich, dachte sie, sich mit jeder Gedankenwindung tiefer in einen Sumpf aus Selbstmitleid und Haß hineinschraubend, hier sitze ich, noch keine dreißig Jahre alt und schon völlig kaputt.

Schon stiegen ihr die ersten Tränen in die Augen.

Nichts Besseres zu tun, als zu frieren und zu saufen.

Ich bin allein, ganz ganz allein.

Da gibt es Nelly – diesen Gedanken schob Irma weg. Nelly würde bald sterben, und sie wollte nicht daran denken. Ich bin allein, nahm sie den Faden wieder auf.

Und Tränen rollten wie von allein über ihre kalten Wangen.

Sie starrte auf das Wasser, aber statt der fetten Enten sah sie dort die schlimmsten Momente ihres Lebens. Heute würde sie Rotz und Wasser heulen ob ihres Schicksals, und wenn es auch noch die zweite Flasche kostete.

Sie sah:

Den Tag, an dem es keine Spitzenschuhe in ihrer Größe mehr gab.

Damit hatte alles begonnen. An der Ballettakademie hätte sie Erich nie getroffen. Dafür mußte sie schon an die Uni gehen. Da stand er und dozierte, und sein Blick fiel auf sie. Kein Wunder, sie ragte ja aus der Masse.

Erich ließ sich scheiden, und Irma zog zu ihm. Sie schraubte für ihn die verklemmten Deckel der Whiskyflaschen auf, denn sie hatte kräftige Hände, sie sah ihm beim Trinken zu, und sie hing an seinen Lippen. Er redete viel, viel.

Er redete nur über sich selbst. Irma hörte ihm zu. Sie war groß und dunkel und knochig, und man konnte ihr den dringenden Wunsch, sich hinzugeben, nicht ansehen. Da waren zu viele große Ballettrollen, die sie zu jung einstudiert hatte.

Erich sah nur ihre breiten Schultern, auf die er sich stützen konnte, wenn er betrunken war, er fühlte ihren männlichen Körper, der ihn seltsam erregte.

Irma merkte das schon. Sie vertraute auf die Zeit. Sie

liebte ihn, das war das Entscheidende, und sie verstand ihn. Sie verstand, daß er ein bißchen vorsichtig sein mußte. Wegen der Kinder vor allem, er hatte drei davon, ganz kleine. Die sah er nur jedes zweite Wochenende, dann mußte Irma jeweils verschwinden, mitsamt all ihren Sachen. Sie verstand. Sie verstand auch, daß er sie in der Öffentlichkeit nicht duzen . . . seinen Freunden nicht vorstellen . . . ihren Namen nicht an der Türe . . . keine enge Beziehung . . . nicht . . . konnte. Sie mußten vorsichtig sein.

Ich bin nicht mehr siebzehn, hatte er einmal gesagt.

Und sie: Ich auch nicht.

Dabei fiel ihr Eugen wieder ein. Der war noch nicht dreizehn und konnte schon Küsse von Küssen unterscheiden.

Erich war nicht so. Erich war von seiner Scheidung mitgenommen und vorsichtig. Irma pflegte ihn, wenn niemand es sehen konnte, Irma wartete auf ihn. Es machte ihr nichts aus. Sie verstand. Wenn er nur lange genug den Kopf zwischen ihre Brüste pressen durfte, würde er schon wieder zu Kräften kommen.

Das kam er auch.

Er lernte eine andere Studentin kennen. Die war noch jünger als Irma und ganz zart und blond. Sie klingelte an der Tür und riß Irma an den Haaren, sie schmiß mit Tellern nach Erich, sie drohte mit Selbstmord, sie machte einen öffentlichen Skandal, und wenige Wochen später waren sie verheiratet.

Der vernünftige Erich hatte alle Vernunft fallenlassen. Irma hatte ihn einmal besucht. Da stand er in der Küche, der Herr Professor, konzentriert die T-Shirts seiner jungen Frau bügelnd. Sie war schwanger, erzählte er ihr, und sie erlaubte ihm nicht mehr, seine anderen Kinder zu sehen.

Das war wohl schwierig für ihn, und für seine Kinder natürlich auch, aber er verstand seine Frau. So eine Schwangerschaft, das war schon . . . Aber im Grunde freute sich Erich über sein ganz neues Leben. Und so ein ganz neues Kind wog wohl auch drei alte auf. Vor allem, da seine Exfrau . . . Erich bot Irma einen Tee an. Irma war immer noch die einzige, mit der er so frei und offen reden konnte. Sie verstand ihn doch? Er stellte das Bügeleisen in den dafür vorgesehenen Metallkorb an der Seite des Bügelbrettes. Irma sah schon, daß er Routine im Bügeln hatte.

Sie hatte den Tee abgelehnt.

Die letzten Tränen klebten auf ihrem kalten Gesicht.

Sie zog energisch die Nase hoch, stand auf und warf die leere Flasche in den Fluß. Vorsichtig erhob sie sich von der Bank. Probeweise machte sie ein paar Schritte. Es ging ganz gut. Ihre Beine waren etwas steifgefroren, ihr Kopf ein wenig eingenebelt, aber die kalte, graue Nebelluft hielt sie am Boden. Sie sah zum Himmel und versuchte ein paar Tanzschrittkombinationen auf der beinahe menschenleeren Promenade.

Irma ging nicht direkt nach Hause. Sie wagte nicht, betrunken vor Nelly zu treten. Sie fuhr zuerst in den Supermarkt. Stirnrunzelnd blickte sie auf Nellys Liste. Die winzigen, gestochen scharfen Buchstaben verschwammen vor ihren Augen. Sie brauchte Minuten, um den Sinn eines Begriffes wie Muskatnuß zu erfassen. Als sie ihren Einkaufswagen langsam an den Milchprodukten vorbeisteuerte, hörte sie ihren Namen.

Irma!

Sie blieb stehen. Langsam drehte sie sich um.

Da war er, der Mann mit dem Motorrad, der Blonde

mit dem frischgestärkten Cowboytuch. Und sie hatte schon wieder vergessen, wie er hieß.

Hallo! sagte sie gedehnt und nicht unfreundlich.

Glücklich lenkte er seinen Wagen neben ihren. Wieder befanden sich nur Bierflaschen und Konservenbüchsen darin. Irma lächelte. In ihrem Wagen häuften sich vernünftige Lebensmittel, Sachen zum Kochen, zum Verwerten, zum Essen, Sachen, von denen sie früher nicht einmal den Namen gekannt hätte. Stangensellerie! Paniermehl! Sauerrahm! Ein ungeahntes Gefühl der Überlegenheit schwappte über ihr und ihrem Einkaufswagen zusammen und ließ sie huldvoll und unerwartet freundlich mit dem Mann reden. Er konnte es nicht fassen. Es tut mir leid, daß ich dich letztes Mal rausgeworfen habe, sagte sie sanft, aber Nelly ging es wirklich schlecht.

Deine Großmutter ist eine tolle Frau. Hoffentlich geht es ihr jetzt besser.

Es ist nicht meine Großmutter. Irma seufzte. Aber sonst hast du recht. Leider ist sie immer noch . . .

Was denn?

Sie näherten sich der Kasse. Die Schlange war so lang wie an jenem Sonntagnachmittag, an dem sie sich getroffen hatten. Irma schaute verlegen zu Boden.

Sie griff in seinen Wagen und lud die Bierflaschen und Thunfischdosen bei sich ein. Geht schneller so, murmelte sie, und dann, leise und über den Wagen gebeugt, so daß er sie kaum verstehen konnte:

Rico, ich brauche deine Hilfe.

Reto, sagte er verletzt, ich heiße Reto.

Sie bezahlten die Einkäufe und setzten sich dann in das Café im Supermarkt, an einen braunen Plastiktisch. Irma schob die übergroße orange Plastikblume im Plastiktopf zur Seite. Sie bestellten sich nichts, es war Selbstbedienung, und der Tisch war noch nicht einmal abgeräumt. Niemand würde sie bemerken. Irma konnte sowieso nicht lange bleiben.

Es geht um Nelly, sagte sie, mehr als um mich. Du mußt ihr helfen . . . uns.

Sie erzählte ihm gerade so viel, daß er empört den Atem anhielt und versprach, alles zu tun, was nötig wäre. Irma gab ihm Selmas Telefonnummer und bat ihn, dort anzurufen.

Sie schrieb ihm auf, was er zu sagen hatte:

Ich bin der Freund von Irma Zweifel. Es geht um meine Großtante. Nein, keine Namen. Sie bekommen eine Tonbandkassette und ein Polaroidfoto, das strich Irma durch, zwei Polaroidfotos. Eines, das Sie verwenden können, und eines für Sie, damit Sie sehen, daß Sie mir glauben können.

Pause.

Irma blickte auf.

Wenn sie irgendwelche Einwände hat (sie schrieb weiter):

Das ist alles, was Sie bekommen werden. Es liegt an Ihnen. Sie sind schließlich Journalistin.

Ich werde Ihnen die Sachen persönlich überbringen und stehe Ihnen für weitere Fragen zur Verfügung.

Keine Namen. Irma unterstrich das.

Reto stand auf. Soll ich das gleich machen?

Ja. Sag ihr, du bringst die Sachen morgen abend, du kannst sie bei uns abholen und mit uns essen. Dann machen wir gleich noch ein Bild von Nelly und dir. Reto nickte. Er stellte keine weiteren Fragen.

Ich muß jetzt gehen, sagte Irma und hob ihre Taschen auf. Ich möchte Nelly nicht zu lange warten lassen.

Als sie den Ausgang schon beinahe erreicht hatte, rannte er hinter ihr her.

Meine Sachen! rief er ein bißchen atemlos, er war nicht ganz schlank, meine Sachen sind noch in deiner Tasche! Als sie ihm den Dosenthon in die Hand drückte, wurde sie plötzlich verlegen, und es fiel ihr wieder ein, wie es gewesen war, wie alles von Anfang an völlig verkehrt gewesen war. Aber das würde jetzt alles ganz anders werden. Und er schien schon nicht mehr daran zu denken.

Bis morgen, sagte sie warm und küßte ihn auf seine weiche Wange. Bis morgen und vielen Dank.

Als sie nach Hause kam, saß Nelly auf dem Sofa. Sie trug das hochgeschlossene neue Kleid mit der silbernen Nadel. Sie hatte die Haare gewaschen und in weiche Wellen gelegt und im Nacken festgesteckt. Sie saß einfach da, die Beine eng nebeneinandergestellt, die Hände im Schoß gefaltet, und wartete. Auf Irma.

Sie sah aus wie auf dem Photo, Weihnachten 1989, nur daß ihr Blick nicht matt war, sondern erschreckend klar.

Irma lächelte und stellte die Einkaufstüten ab. Sie bot Nelly einen Aperitif an, einen Sherry, den sie leicht errötend akzeptierte. Irma schob den Sessel in die Küche und begann, den Hackbraten vorzubereiten. Nelly gab klare Anweisungen, die Irma schnell und sicher ausführte. Nelly nickte anerkennend. Sie kritisierte nur die immer noch etwas zu grob gehackte Zwiebel und die unregelmäßig gerupfte Petersilie.

Aber das sind Feinheiten, räumte sie großzügig ein. Irma schob den Hackbraten in den Ofen und drehte sich zu Nelly um.

Ich lerne das noch, sagte sie, du wirst schon sehen.

Dann schob sie den Sessel wieder zurück, schenkte die beiden Sherrygläser noch einmal voll und setzte sich neben Nelly. Irma schloß die Augen und räusperte sich.

Ich möchte, daß du deine Geschichte auf Band sprichst.

Nelly reagierte nicht.

Irma wartete einen Augenblick und versuchte es dann noch einmal.

Ich muß nicht dabeisein. Ich kann solange aus dem Zimmer gehen.

Nelly hob den Kopf.

Warum?

Irma streckte die Hand nach ihr aus, ohne sie zu berühren.

Weil umbringen zu einfach wäre, du erinnerst dich doch.

Nelly leerte ihr Glas und stellte es wieder auf den Tisch.

Du weißt, was du tust, meinte sie, und es klang mehr wie eine Feststellung als wie eine Frage.

Irma wurde rot. Sie wußte ganz und gar nicht, was sie tat. Aber es war wohl zu spät, um darüber nachzudenken.

Soll ich jetzt mit dem Kartoffelbrei anfangen? fragte sie.

Nelly schüttelte den Kopf.

Nein. Schalte den Ofen aus. Ich mache es lieber gleich. Vor dem Essen.

Irma stellte das kleine Diktiergerät auf den Tisch, das Selma ihr mitgegeben hatte. Umständlich legte sie eine neue Kassette ein, prüfte die Aufnahmequalität und die Lautstärke, räusperte sich verlegen und lehnte sich dann zurück.

Nelly hatte die Arme auf dem Tisch gefaltet und beugte sich jetzt vor. Sie sah das Gerät eindringlich an. Als ob es zuhören würde.

Ich heiße Nelly, sagte sie, ich bin sechsundsiebzig Jahre alt, und ich habe die letzten drei Jahre in einem Kellerverschlag verbracht. Meine Familie hat mich dort eingesperrt, weil ich ihnen im Weg war.

Sie machte eine Atempause und sah Irma fragend an. Irma nickte.

Nelly sprach weiter, flüssig und scheinbar emotionslos.

Bis vor vier Jahren war ich eigentlich sehr selbständig, ich bin viel gereist und hatte relativ wenig Kontakt mit der Familie meines einzigen Sohnes. Ich hatte nicht das Gefühl, daß sie mich brauchten, oder ich sie, ich verstand mich nicht besonders gut mit meinen Enkeln, die außerdem von der mütterlichen Seite her eine weitverzweigte Verwandtschaft hatten. Wir sahen uns an Weihnachten, wenn ich nicht gerade auf Reisen war. Ich genoß diese Selbständigkeit sehr.

Dann geschah etwas Unvorhergesehenes, etwas ganz Dummes, ich rutschte vor meinem Haus aus und brach mir den Oberschenkelhals. Der Bruch heilte nicht. Ich wurde mehrmals operiert. Ich lag lange im Krankenhaus und dann in einem Sanatorium, und als ich schließlich nach Hause konnte, war ich zu schwach, um allein zu sein. Mein Sohn suchte eine Pflegerin für mich, aber er fand keine, und als er endlich eine fand, war sie viel zu teuer. Er meldete mich in einem Altersheim an, da hätte ich ja noch nichts dagegen gehabt, aber die Wartezeiten betrugen mehrere Jahre. Ich merkte, daß er nicht mehr wußte, was er mit mir anfangen sollte, und er tat mir leid. Ich bemühte mich, mit aller Kraft gesund zu werden, aber ich blieb einfach geschwächt, und ich konnte nur sehr mühsam gehen, manchmal nur am Stock. Das alles war sehr schwierig für mich. Im ersten Moment war ich erleichtert, als er mir schließlich anbot, zu ihm zu ziehen. Mein Sohn wohnt in einem großen Haus, und ganz oben unter dem Dach gibt es ein kleines Gästezimmer. Leider ist es vom Bad ziemlich weit entfernt, und schon in der ersten Nacht . . .

Hier stockte Nelly. Sie holte tief Luft und fuhr dann tapfer fort:

Schon in der ersten Nacht passierte das Unglück, daß ich nicht rechtzeitig dorthin gelangte, ins Badezimmer, meine ich, und, und mitten auf dem Flur . . . Ich schämte mich so, daß ich zu weinen begann und mich nicht rühren konnte. So merkte ich leider nicht gleich, daß meine Schwiegertochter mit einem Besuch aus dem Arbeitszimmer gekommen war und mich so sah. Meine Schwiegertochter arbeitet sehr viel, auch nachts, und der Mann war ein für sie offenbar sehr wichtiger Berater. Meine Schwiegertochter hat politische Ambitionen. Ich glaube, sie hielt es für eine persönliche Beleidigung, sie glaubte, ich hätte das absichtlich getan, um sie in Verlegenheit zu bringen. Sie hat leider die Tendenz, alles auf sich zu beziehen. Am nächsten Morgen hielt sie eine Familienkonferenz ab. Sie erzählte, was ich getan hatte. Meine Enkel starrten mich an. Ich schämte mich sehr. Sie beschloß, mir noch einmal eine Chance zu geben, aber sie drohte, wenn es noch einmal geschehen sollte, müßte sie Maßnahmen ergreifen. Welche, das wußte ich nicht, aber ich merkte, daß in dieser Nacht mein Stock aus meinem Zimmer verschwunden war. Ich zwang mich wach zu bleiben, aber ich muß im Sessel eingeschlafen sein, und dann passierte es. Am nächsten Morgen, es war ein Sonntag, gab es eine erneute Familienkonferenz. Meine Schwiegertochter kündigte an, daß sie mich in ein Pflegeheim bringen würde, ein sehr teures und sehr angesehenes, wo man sich gut um mich kümmern würde und sie mich regelmäßig besuchen konnten.

Ich wußte, daß es so etwas nicht gab. Mein Sohn hatte verzweifelt versucht, so etwas für mich zu finden, und es war ihm nicht gelungen. Ich sah ihn an, aber er blickte zu Boden.

Am Nachmittag schickten sie die Kinder ins Kino und brachten mich in den Keller. Es ist nur vorübergehend, Mutter, sagte mein Sohn, und ich sah, daß er verzweifelt war. Er wollte es selber glauben. Ich glaubte schon nicht mehr daran, daß sie mit mir irgendwohin fahren würden.

Sie brachten mich in den Keller, aber wir gingen nicht in die Garage. Unter der Kellertreppe gab es einen kleinen Verschlag, das sieht man oft in alten Häusern, etwas wie einen Putzschrank.

An dieser Stelle lächelte sie Irma zu, sie schaffte es, ihr wegen dem Putzschrank zuzulächeln.

Der Raum mißt ungefähr zwei Quadratmeter. Sie hatten eine Matratze hineingelegt, die wohl früher dem Hund gehört hatte, eine Taschenlampe und ein paar Bücher.

Russische Romane, sagte meine Schwiegertochter, die liest du doch gerne.

In dem Moment begriff ich erst, was sie vorhatten, und begann zu schreien. Sie warfen mich auf die Matratze, schlossen die Türe hinter mir, und ich hörte, wie sie schwere Ketten und Schlösser vorlegten.

Drei Jahre lang blieb ich in dem Loch. Sie brachte mir regelmäßig Essen, meist Konservendosen, die nur gerade geöffnet wurden, nicht aufgewärmt, und neue Bücher. Sie gaben mir Beruhigungsmittel, das merkte ich erst mit der Zeit, ich glaube, ich lag die meiste Zeit einfach so da. Nur an Weihnachten holten sie mich heraus, badeten mich, zogen mich an und bewiesen so der Verwandtschaft, vor allem den Kindern, daß ich noch lebte, daß es mir gutging, daß sie für mich sorgten. Ich hatte ein kleines Büchlein dabei, in das ich ab und zu etwas notierte, wenn ich gerade einen klaren Gedanken fassen konnte, was nicht häufig geschah.

Eines Tages fand mich meine Enkelin, die mittlere. Ich

flehte sie an, mich herauszulassen, doch sie tat es nicht, sie traute sich nicht. Ich konnte sie verstehen. Immerhin brachte sie mir regelmäßig etwas Anständiges zu essen. Manchmal, wenn niemand im Haus war, brachte sie mich für eine Stunde nach oben in ihr Zimmer. Oder sie wusch meine Haare. Es gelang ihr sogar, meine Matratze auszuwechseln. So wurde ich etwas kräftiger. Vor vier Wochen, sie holte tief Atem, jetzt sah sie Irma fest an, um sich zu erinnern, was sie abgesprochen hatten, vor vier Wochen brachte mir die Kleine ein Sandwich und ließ beim Gehen die Türe offen. Ich war jedoch zu schwach, um mich zu bewegen oder gar zu fliehen. Zufällig kam mein Großneffe vorbei, fand das Haus offen und lief laut rufend herum. Es gelang mir, ihn auf mich aufmerksam zu machen. Er nahm mich mit zu sich nach Hause. Es geht mir jetzt besser, aber ich habe große Angst, daß meine Schwiegertochter mich findet und mir etwas antut.

Nelly schwieg. Dann drückte sie die Stopptaste und seufzte.

Das muß reichen, sagte sie matt.

Irma nickte.

Das reicht auch, sagte sie.

Dann kochte sie den Kartoffelbrei, und sie aßen zusammen, als ob nichts gewesen wäre. Sie sprachen darüber, was sie Reto am nächsten Abend vorsetzen würden.

So ein netter junger Mann, sagte Nelly träumerisch.

Das hast du schon einmal gesagt, sagte Irma.

Sechs

Keuchend stützte sich Irma mit der Hand an den Türrahmen. Ihre Lungen schmerzten bei jedem Atemzug, ihr Herz schlug unregelmäßig gegen die Rippen. Unterdessen schaffte sie die sieben Stockwerke im Laufschritt, ohne stehenzubleiben. Die Hoffnung, ihn noch kurz zu sehen, bevor er wegging, zog sie nach oben. So blieb sie in Form.

Sie drückte mit dem Daumen auf den Klingelknopf, lehnte dabei die Stirn gegen die Tür und lauschte in die Wohnung. Nichts. Sie schloß die Türe auf und trat in die Wohnung.

Hallo, rief sie zaghaft, hallo?

Niemand. Sie hatte es gewußt. Sie konnte die Leere in einer Wohnung riechen. Wochen war es her, seit sie ihren bevorzugten Arbeitgeber zum letzten Mal gesehen hatte, und auch da nur zwischen Tür und Angel. Aber sie hätte es sich denken können. Sie streckte die Hand aus und strich über die Schalter, die untereinander angeordnet waren. Licht flammte von überall her auf, aus winzigen Halogenstrahlern, die wie Sterne über Decken und Wände verstreut waren.

Sie ging in die offene Küche. Die Wohnung war kühl und sauber. Spärlich möbliert. Unproblematisch, was das Putzen betraf, bis auf ein paar heikle Glastische. Die Küche war als einziger Raum nicht bis ins Detail durchgestylt, ein warmer, gemütlicher Raum mit zusammengewürfelten Stühlen, Kräutertöpfen auf der Fensterbank und einem Aquarium auf dem Kühlschrank. Sie klopfte mit dem Fingernagel gegen die Scheibe, die Fische rührten sich nicht. Auf dem Küchentisch lag eine Notiz.

Liebe Irma, würde es Ihnen etwas ausmachen, meine Hemden in die Wäscherei zu bringen? Sie liegen im Schlafzimmer hinter der Türe. Im Kühlschrank steht eine Schüssel Lachstatar. Essen Sie, so viel Sie mögen. H O M

Langsam ließ sie die Jacke über die Schultern rutschen, die Tasche zu Boden gleiten, sie sank auf den nächsten Stuhl. Ihr Herz klopfte jetzt noch härter als auf der Treppe. H O M, so unterschrieb er seine kurzen, freundlichen Nachrichten. Jedesmal, sie konnte nichts dafür, jedesmal sah sie das Werbeplakat vor sich, den zauberhaften, gut gebauten jungen Mann, der nichts als eine Unterhose dieser Marke trug – und er trug sie gut. Das Bild von Hans O. Meier schob sich vor das des unbekannten Fotomodells. Sie kniff die Augen zusammen, fixierte einen Punkt an der Wand, das Bild verschwand. Sie schüttelte energisch den Kopf und kam langsam wieder zu sich. Sie lächelte und erinnerte sich, wie sie ihn gefragt hatte, was denn das O in seinem Namen bedeutete.

Das O? hatte er verwirrt zurückgefragt, ach so, das O! Ja, ehrlich gesagt, ich weiß auch nicht. Gut, daß Sie mich darauf aufmerksam machen!

Und in der Woche darauf: Was gefällt Ihnen besser, Oskar oder Othmar?

Odil, hatte sie geantwortet.

Hans Odil Meier, er hatte den Namen ein paarmal im Mund hin und her geschoben und dann anerkennend genickt.

Klingt gut! hatte er gesagt, genau der richtige Name für ein Arschloch wie mich!

Und als sie leer schluckte: Leider kann ich es mir nicht mehr leisten, ein einfacher Bub vom Land zu sein.

Über das Wort Bub hatte sie verlegen gelacht, die Art, wie er es betonte, erregte sie unbestimmt. Und tatsächlich, das hatte sie später herausgefunden, war er Welten von dem Jungen vom Lande entfernt, der er – vielleicht – einmal gewesen war.

Jedenfalls verdiente er genug, um sich eine Putzfrau zu leisten, die er kaum zu beschäftigen wußte, sie gut zu bezahlen und mit Lachstatar zu füttern. Irma öffnete den Kühlschrank und nahm die Schüssel heraus. Prüfend fuhr sie mit dem Finger durch die kühle Fischmasse und probierte.

Hm, hm, schmatzte sie, Ketchup fehlt.

Sie nahm die bauchige Flasche aus dem Küchenschrank und rollte sie zwischen den Handflächen, wie das in amerikanischen Filmen immer so gut funktionierte und im wahren Leben nie. Nach einer Weile wurde sie ungeduldig und schlug mit der flachen Hand auf den Flaschenboden. Mit dumpfem Schmatzen plumpste die Hälfte des Inhalts als roter Klumpen in die Tatarschüssel, der Rest spritzte über den Tisch und an die Wand. Sie zuckte mit den Schultern. Sie war schließlich die Putzfrau.

Sie rührte das Tatar gut um und setzte sich an den Küchentisch. Während sie aß, ging sie beiläufig die Post durch, die schon geöffnet auf dem Küchenbord lag.

Nichts besonders Interessantes dabei. Außer einem handgeschriebenen Zettel:

VERGISS DIE EINLADUNG BEI THEO NICHT!! XXX
ANDREA.

Seufzend stand sie auf, sammelte die vereinzelt herumstehenden Gläser ein, an denen eingetrocknete Reste von Gemüsesaft klebten, und begann abzuwaschen. Von Hand, obwohl Hans natürlich eine Geschirrspülmaschine hatte. Er hatte alles, was das Leben erleichterte, und war selber so ordentlich, daß er eine Putzfrau kaum zu beschäftigen wußte. In ihrer Verzweiflung verfiel Irma manchmal darauf, den Mülleimer auszuwaschen oder die Stukkaturbänder an der Decke abzustauben. Manchmal redete sie sich ein, er beschäftige sie nur, weil ihm etwas an ihr liege ... Schnell und gründlich putzte sie die Küche, wusch die Ketchupflecken von der Wand und räumte dann, auf dem feuchten Boden kniend, den Kühlschrank aus, um ihn mit Essigwasser auszureiben. Das war natürlich völlig überflüssig, aber der Essiggeruch würde noch in der Küche hängen, wenn Hans O. nach Hause käme. Damit war ihre Pflicht getan. Er würde wissen, daß er sie nicht für nichts bezahlte. Er würde den Gedanken, sie zu entlassen, verwerfen, wenn er ihn je hatte. Er würde sich zehn Sekunden lang an sie erinnern. Sie nahm die angebrochene Flasche Rosé und ein Glas mit ins Schlafzimmer.

Die Hemden lagen in einem großen, bunten Haufen auf dem japanischen Flachbett. Sie stellte das Glas auf den Bettrand, ordnete die Hemden zu einer länglichen Form und legte sich vorsichtig daneben.

Hmmm, summte sie leise, hmmmmm.

Sie schloß die Augen, legte eine Hand auf den Kleiderberg, rollte sich dann ganz darauf und vergrub ihr Gesicht in den buntgemusterten, scharf riechenden Kleidungsstücken. Hans O. hatte, so kultiviert und unverbindlich er auftreten mochte, einen strengen, sehr eigenen Körpergeruch, und obwohl er seine Hemden zweimal täglich wechselte, haftete er noch immer an ihnen. Wenn sie die Augen schloß, konnte sie sich beinahe vorstellen, er sei es, auf dem sie liege.

Dabei war alles ganz anders. Andrea, das hatte sie irgendwann einmal herausgefunden, war ein Mann. Ein blonder Norditaliener. Er arbeitete in der Aquarium-Bar, die Hans O. gehörte. Zu der Bar gehörte auch eine Art Séparée im ersten Stock, wo hübsche junge Männer dem sogenannten ältesten Gewerbe der Welt nachgingen. Andrea hatte im ersten Stockwerk gearbeitet, bevor der Blick des Chefs auf ihn gefallen war. Jetzt arbeitete er unten, in der Bar. Hans O. Meier, der erste Mann, der ihren Herzschlag durcheinandergebracht hatte seit der Geschichte mit Erich, war ein homosexueller Bordellbesitzer.

Das wußte sie aber noch nicht lange. Bis vor wenigen Wochen hatte sie geglaubt, Hans O. Meier sei ein gutverdienender Werbetexter, Finanzberater oder gar Aufnahmeleiter und die mit Andrea unterschriebenen, zärtlichen Mitteilungen stammten selbstverständlich von einer Frau. Einer Frau, von deren Anwesenheit Irma einen Hauch gesehen hatte. Das hatte sie sogar noch beruhigt. So einfältig war sie gewesen.

Irma hatte in den letzten Monaten regelmäßig mit einer Männertruppe trainiert. Die Wochenenden verbrachte sie in einer Tanzschule, in einem riesigen, muffigen Übungsraum, in dem sich die Männertruppe auf einen Auftritt vorbereitete. Irma kannte einen oder zwei der Tänzer von früher, sie hatte früher schon oft mit Männern trainiert. Sie konnte ein paar große Männerrollen tanzen, aber das nützte ihr nicht viel, denn auch für einen Tänzer war sie einfach zu groß. Klassische Tänzer, Ballettänzer, waren selten größer als einen Meter siebzig, einen Meter fünfundsiebzig.

In der Truppe, mit der sie jetzt trainierte, könnte sie allerdings auftreten – als Damenimitator. Da störte ihre Größe von einem Meter achtundachtzig nicht. Edy mit dem abgewetzten Hüftgelenk, der die Truppe leitete, hatte es ihr angeboten.

Kein Mensch wird es merken, sagte er, und du bist immer noch gut.

Ich werde es mir überlegen, sagte Irma.

Aus Spaß studierte sie eine Nummer mit ein, mehr im Hintergrund und ohne Gesang. Denn singen konnte sie nicht.

Am Sonntag, am späteren Nachmittag, kamen zwei bärengroße Männer zum Zuschauen in den Saal. Beide waren um die Vierzig, trugen kastenförmige, lange Mäntel mit Pelzkragen und dunkelrote Wollschals mit Fransen. Mit verschränkten Armen standen sie an die Wand gelehnt und sahen den Tänzern zu. Dann legten sie auf ein unsichtbares Kommando die Mäntel ab, warfen sie in eine Ecke und tänzelten mit ausgebreiteten Armen auf die Tanztruppe zu. Dazu schmetterten sie andeutungsweise ein Lied, das heißt, sie sangen ungefähr jeden dritten Ton voll und dazwischen da-dam, da-dam.

Die beiden riesigen und ziemlich dicken Männer bewegten sich erstaunlich leicht und elegant.

Wer sind die, zischte Irma zwischen den Zähnen, während sie versuchte, den Takt zu halten.

Jolanda und Viola, flüsterte einer der Tänzer, unsere Stars. Irma nickte und verpaßte einen Schritt. Schon hatten sie sie bemerkt.

Vortreten! bellte der eine.

Irma trat schüchtern einen Schritt vor.

Die beiden Männer musterten sie von oben bis unten und von unten bis oben. Sie war genau gleich gekleidet wie die anderen Tänzer, sie trug ein weites Sweatshirt über dem Trikot und war barfuß. Ihr Körper war groß und knochig, ihre Haare kurz und gelockt. Ihr Gesicht mager und knochig und nicht besonders hübsch, im allerhöchsten Fall interessant.

Interessant, sagte der andere.

Irma macht nur das Training mit, mischte sich Edy ein, der ihr vor weniger als einer halben Stunde noch angeboten hatte, in die Truppe einzusteigen.

Irma trat wieder zurück und reihte sich hinter den Tänzern ein.

Die beiden dicken Männer klatschten gebieterisch in die Hände. Das Training war beendet. Irma benutzte Garderobe und Duschraum mit den Tänzern zusammen. Das hatte sie bisher nie gestört. Jolanda und Viola, mit bürgerlichem Namen Herbert und Klaus, tigerten in Mantel und glänzenden Schuhen durch die Garderobe. Sie unterhielten sich ungeniert über die Tänzer, ob sie zugenommen hatten, wie sie aussahen. Besonders begutachtet wurden die neuen Tänzer.

Schau dir das an, sagte Herbert alias Jolanda und tätschelte die Schulter eines asiatischen Tänzers. Diese Haut! Fühl doch mal! Und der fette Klaus streckte die Hand aus und kniff den Tänzer in den Nacken.

Wie Seide, stöhnte er.

Irma beugte sich tief über ihre Tasche. Ihr Gesicht war blutrot angelaufen.

Sie zog sich aus, so weit sie konnte, und flüchtete sich dann in die Dusche, die durch eine halbe Wand nur unzulänglich abgetrennt war. Die einzelnen Duschköpfe ragten nebeneinander aus der Wand. Irma zog ihr Trikot in der Dusche aus und ließ es auf den nassen Boden fallen. Sie drehte die Dusche auf und seifte sich ein. Dabei stellte sie sich mit dem Gesicht zur Wand.

Ihr Blick war starr auf ihre bleichen, langen Zehen gerichtet. An einem klebte ein schmuddliges Pflaster. Sie hatte zweimal sieben Stunden trainiert und sich dazwischen sinnlos betrunken. Andere Duschen wurden aufgedreht, Dampf stieg auf, die volltönenden Stimmen von Herbert und Klaus kamen näher. Natürlich.

Irma griff nach ihrem Tuch und drehte sich um, einen winzigen Augenblick zu spät. Da stand sie vor den beiden männlichen Matronen und streckte ihnen ihre ungeschützten, weißen Brüste und ihr schief rasiertes Schamdreieck, das nur mehr ein dunkler Streifen war, entgegen.

Pfui! schrie der eine, hielt die Hand vor die Augen und mimte eine Ohnmacht.

Um Gottes willen! schrie der andere. Zieh dir was an!

Wieherndes Gelächter.

Irma preßte das feuchte Tuch vor ihren Körper und flüchtete in die Garderobe. Sie versuchte, sich anzuziehen, ohne sich vorher richtig abzutrocknen, ihre Beine klebten in den Strumpfhosen, sie zog und zerrte und brach schließlich in Tränen aus. Getrappel flinker Füße hinter ihr, die anderen waren jetzt auch aus der Dusche gekommen.

Wir gehen noch was trinken, sagte Edy, kommst du mit uns?

Stumm schüttelte sie den Kopf.

Edy rutschte auf der Holzbank näher zu ihr und versuchte, von unten in ihr Gesicht zu sehen.

Es war doch nur Spaß, sagte er etwas ungeduldig, stell dich doch nicht so an.

In dem Moment verstummten die Gespräche in der Garderobe. Ein dumpfes Poltern gegen die Wand der Dusche war zu hören, das ungerührte Weiterlaufen des Wasserstrahls, unterbrochen von rhythmischem Stöhnen. Einen Augenblick standen alle regungslos da, mitten in der Geste des Abtrocknens und wieder Anziehens verharrend, dann brach unterdrücktes Kichern aus.

Auch Irma mußte lächeln. Sie wischte sich mit dem Handrücken über die Nase.

Zeig her, sagte Edy streng und wischte sie mit einem sauberen Taschentuch ab. Dann zog er sich fertig an.

Also was ist, kommst du noch mit ins Aquarium?

Ins Aquarium? Irma starrte ihn an.

Es ist gleich um die Ecke, sagte Edy und zupfte mechanisch Irmas Rollkragenpullover zurecht. Der Club, in dem wir auftreten, du weißt doch.

Ach. Irma zog ihre Strumpfhosen ganz hoch, stieg in einen kurzen schwarzen Rock, der kaum länger als der Rollkragenpullover war, und schlüpfte in die Schuhe.

Mit beiden Händen fuhr sie sich durch die Haare. Wieder griff Edy ordnend zu.

Also was ist, fragte er noch einmal.

Ich komme mit, sagte Irma, aber nur kurz.

Es war kurz nach sechs. Der Aquarium-Club hatte gerade geöffnet. Er lag nicht weit vom Bahnhof und machte von außen einen etwas heruntergekommenen Eindruck. Im Schaukasten wurde schon das neue Programm von Jolanda und Viola angekündigt. Im Hintergrund auf den Photos konnte man die Tanztruppe erkennen. Die Körper der Tänzer waren goldgepudert; um die Lenden trugen sie rätselhafte Gebinde.

Irma wandte sich Edy zu. Ihr Atem stand in einer Wolke vor den Lippen.

Kein Mensch würde etwas merken, was? fragte sie ironisch.

Edy lächelte und schob sie hinter den anderen her in das Lokal.

Ja, bei der Nummer natürlich schon. Ich dachte mehr an . . .

Das Lokal war innen ganz neu eingerichtet. Lebende Fische schwammen durch die Wände, und über der Bühne baumelte eine Seejungfrau. Stühle und Tische waren mit blauen, grünen und silbern glänzenden Scherben besetzt, als Lampenfüße dienten kleine Goldfischgläser, und algenartige Pflanzen hingen von der Decke. Die Tänzer schoben zwei kleine Tische zusammen und drängten sich darum herum. Irma blieb noch einen Augenblick stehen, um den Raum zu betrachten.

Toll, nicht, fragte jemand an ihrer Seite. Sie lächelte. Wunderschön.

Hinter der Bar stand ein sehr junger Matrose. Das heißt, er trug ein Matrosenhemd und eine Mütze mit flatternden Bändern. Dazu weiße Shorts und weiche Lederstiefel. Die Mütze saß verwegen schräg auf seinen weißblonden Haaren.

Ich komme, Mädels, rief er, ich komme!

Mädels? Irma setzte sich auf die Kante eines mit blauem Samt bezogenen Sessels. Sie wußte, daß sie nicht gemeint war.

Der Matrose schlängelte sich hinter der Theke hervor. Anzüglich bewegte er sich in seinen lächerlich knappen Shorts und den weichen, hohen Stiefeln. Edy stand auf, nahm den Matrosen in die Arme und küßte ihn auf beide Wangen.

Andrea! rief er. Schön, daß du wieder da bist! Gut siehst du aus!

Irma wandte kaum den Kopf.

Andrea nahm die Bestellung auf. Die meisten Tänzer bestellten Orangensaft. Nur Irma, Edy, Herbert und Klaus einigten sich auf Whisky.

Sie waren auch die einzigen, die auf ein zweites Glas blieben. Die Tänzer gingen nach Hause, um ihre schmerzenden Muskeln einzuölen und sich ins Bett zu legen.

Irma rutschte näher zu Edy. Herbert und Klaus waren mit stetigem Schwinden des Publikums immer menschlicher geworden. Das Gespräch drehte sich eine Zeitlang um Edys abgewetztes Hüftgelenk, das ihm schon länger zu schaffen machte und seine Karriere als Tänzer wohl bald beenden würde. Das war grausam, und alle wußten das.

Dann fiel einem von ihnen auf, daß Irma schon lange nichts mehr gesagt hatte. Hatte sie überhaupt schon etwas gesagt?

Liebe Paula, sagte Herbert, wir haben Sie doch hoffentlich nicht gekränkt?

Es war doch nur ein müder Scherz, entschuldigte sich auch Klaus.

Ich heiße Irma, sagte Irma.

Herbert legte eine Hand auf ihre und drückte sie freundschaftlich.

Für mich heißen alle Frauen Paula, sagte er und bestellte noch eine Runde. War es die dritte? Oder die vierte? Das Lokal füllte sich langsam. Zwei weitere Matrosen hatten sich zu Andrea gesellt, um ihm beim Servieren zu helfen.

Edy beugte sich vor.

Was läuft denn im Moment für ein Programm?

Klaus winkte mit der Hand ab. Ach, so eine abgelutschte Sängerin, Las-Vegas-Stil . . .

Aber das Lokal läuft gut, oder?

Herbert kicherte.

Ja, vor allem im ersten Stock!!

Die anderen kicherten mit.

Edy wurde sofort wieder ernst.

Aber Andrea . . .

Vertraulich wurden die Stimmen gesenkt.

Nein, nein. Andrea arbeitet nicht mehr oben.

Zum Glück, seufzte Edy. Das hat ihm gar nicht gutgetan.

Also ehrlich, du kannst nicht deinen eigenen Liebsten . . .

Sie bestellten eine weitere Runde.

Dann redeten sie wieder über das neue Programm. Irma hörte nicht mehr zu. Sie beobachtete Andrea, der gerade die Gläser auf dem Tablett ordnete. Plötzlich verstummte auch das Gespräch der anderen. Ein Mann war eingetreten und direkt auf Andrea zugegangen, ein Mann, den sie unter allen erkennen würde, Hans O. Meier.

Irmas Herzschlag setzte aus. Sie dachte an das Aquarium auf seinem Kühlschrank und an die regelmäßigen zärtlichen Notizen auf dem Küchentisch, die mit Andrea unterschrieben waren. Eine Frau, hatte sie selbstverständlich angenommen und sich nichts weiter dabei gedacht, da sie keinerlei Anzeichen für die ständige Anwesenheit einer Frau in seiner Wohnung finden konnte. Andrea war schließlich ein Frauenname – oder etwa nicht?

Schnell drehte sie sich um und ließ sich tiefer in das Polster sinken.

Ah, ah, ah! lautete der spöttische Kommentar. Seht mal, wer da kommt!

Der hohe Boß persönlich!

Haben die sich etwa wieder versöhnt? fragte Edy mißgelaunt, und seiner Stimme war deutlich zu entnehmen, daß ihm das nicht gefiel.

Sieht so aus, antwortete einer. Und auch Edy rutschte tiefer in seinen Sessel.

Dieser Sklaventreiber, murrte er, den eigenen Liebsten verkaufen! Zuhälter!

Seine Stimme klang betrunken.

Irma drehte sich noch einmal um, um sicher zu sein, daß sie wirklich von Hans O. Meier sprachen.

In dem Moment trafen sich ihre Blicke. Irma zuckte zusammen. Hans O. schien einen Augenblick lang zu erstarren, aber nur einen Augenblick lang, beinahe sofort setzte er ein breites Lächeln auf und kam mit ausgestreckter Hand auf sie zu.

Irma! rief er schon aus einiger Entfernung. Was für eine nette Überraschung, Sie hier zu treffen!

Meine Herren, grüßte er die anderen.

Irma lächelte schüchtern. Sie hätte etwas sagen müssen, aber es fiel ihr beim besten Willen nichts ein. Unschlüssig blickte er auf sie hinab.

Darf ich Ihnen etwas anbieten?

Danke, sagte Irma und wunderte sich, warum ihre Zunge ihr plötzlich nicht mehr gehorchte, allerdings hatte sie sie in den letzten Stunden auch kaum benutzt. Danke, sagte sie schwerfällig, ich gehe nach Hause.

Ich hoffe, es hat Ihnen gefallen.

Mit einem knappen Nicken verabschiedete er sich und ließ sie in atemloser Stille sitzen. Irma starrte ihm nach. Er glitt zwischen den Tischen hindurch, ohne etwas zu berühren.

Edy faßte sich als erster.

Du kennst den großen Boß?

Ich bin seine Putzfrau, antwortete Irma trocken.

Irma seufzte. Sie rollte sich vom Bett, öffnete die Tür zur Kleiderkammer, wo die Anzüge und Hemden in dichten Reihen hingen. Aus dem obersten Fach fischte sie eine lederne Reisetasche. Sie warf sie aufs Bett und pfefferte wütend die schmutzigen Hemden hinein.

Seit diesem Tag konnte sie keinen hübschen jungen Mann mehr anschauen, ohne vom Bedürfnis überwältigt zu werden, sein Gesicht in einem Schraubstock zu zerquetschen, ihn mit einem schwer beladenen Einkaufswagen zu überfahren und mit hohen Absätzen auf ihm herumzutrampeln.

Was hat er, was ich nicht habe?
Das war einfach zu beantworten.

Irma atmete tief durch. Ein Bad würde ihr guttun.

Auf Zehenspitzen betrat Irma den hellen, gelb und türkis gekachelten Raum. Leichter Zitronenduft hing in der Luft, schwaches Sonnenlicht fiel aus einer Luke in der Zimmerdecke auf die übergroße Badewanne. Irma drehte beide Hähne weit auf. Sie wählte eine kleine Flasche ätherischen Öls aus einer ganzen Reihe. Entspannend, stand darauf, die Gedanken klärend. Das konnte nicht schaden. Sie goß eine großzügige Portion davon in den heißen Wasserstrahl. Dann schlüpfte sie aus ihren Kleidern, ließ sie einfach zu Boden fallen und stieg dann graziös aus dem schwarzen Stoffkreis. Sie drehte das Wasser ab, prüfte die Temperatur mit der Hand. Vorsichtig ließ sie sich in die Wanne sinken. Das Wasser war sehr heiß und der Duft des Öls betäubend, beinahe unerträglich. Sie schloß die Augen und streckte die Beine aus. Ihre Füße bewegten sich frei im Wasser. Die Badewanne war noch zu groß für sie, sogar ihre Füße, Schuhgröße 43, konnte sie unterbringen. Sie stöhnte laut. Schweißtropfen traten auf ihre Stirn.

Hans O. Meier, dachte sie, ich werde Sie immer lieben. Immer.

Sie öffnete die Augen. Das Badezimmer lag im dichten Dampf. Sie tastete auf dem Wandbord nach dem Handrasierer und hob ein langes, ölglänzendes Bein in die Luft. Perfekt durchgestreckt. Sie war immer noch so beweglich wie zu der Zeit, als sie Ballettänzerin werden wollte. Die scharfe Klinge rutschte immer wieder auf ihrer öligen Haut ab, sie schnitt sich zwei-, dreimal ins Bein. Als sie mit den Waden fertig war, stemmte sie die Füße auf den Boden und hob das Becken aus dem Wasser, um sich die Scham zu rasieren. Das war in dieser Haltung nicht ganz einfach. Sie hätte aufstehen müssen dazu, aber sie scheute sich, das heiße Wasser zu verlassen. Sie runzelte die Stirn, konzentrierte sich, doch das dunkle Dreieck wurde immer schiefer, sie rasierte rechts einen Streifen, dann wieder links, plötzlich wußte sie, daß bald nichts mehr da sein würde. Sie zögerte einen Augenblick, dann ließ sie den Rasierer ins Wasser sinken und fuhr mit der Hand über die verbliebenen Haare. Da war nur noch ein schmaler, dunkler Streifen, ein bißchen schief, eine rührende, versteckte Irokesenfrisur.

Als sie aus der Wanne stieg, wurde ihr schwindlig, die türkisfarbenen Fliesen begannen sich zu drehen und wurden dann dunkel. Sie hielt die Augen angestrengt offen und klammerte sich an den Rand des Waschbeckens, bis sie wieder etwas erkennen konnte. Ihr mageres Gesicht, ihre schwarzen, weitaufgerissenen Augen. Sie atmete tief durch, wickelte sich in ein großes flauschiges Badetuch und ging hinüber ins Schlafzimmer. Sie legte sich auf das Bett und schloß die Augen. Ihre Hand streckte sich unwillkürlich nach dem Weinglas.

Das reicht wohl für heute, sagte eine näselnde Stimme.

Irma schoß hoch. Vor ihren Augen drehte sich der Raum, ihre Schläfen pochten, sie preßte das Badetuch an sich. Vor dem Bett stand Andrea, der blonde Matrose, und blickte auf sie hinab. Andrea trug heute seine zivile Kleidung, schwarze Jeans und einen weißen Rollkragenpullover. Er war nicht geschminkt. Sein Gesicht war jung und wütend. Sehr jung und sehr wütend.

Endlich erwisch ich dich, sagte er voller Befriedigung.

Glaubst du, ich weiß nicht, was für ein Spiel du treibst? Er bückte sich nach der Reisetasche und warf sie quer durch das Zimmer. Irma zog den Kopf ein.

Was glaubst du, wer hier für Ordnung sorgt, schrie er. Was glaubst du, wer hier den ganzen Haushalt schmeißt? Wer hier die Böden aufwischt? Ich! Ich! Ich ganz allein! Auf diesen Knien wische ich den Boden auf!!

Jetzt war er außer Atem. Er ließ die Arme hängen und wußte nicht weiter. Einmal holte er noch tief Luft.

Irma stand auf.

Darf ich mich anziehen, fragte sie. Andrea verdrehte die Augen zur Decke.

Irma ging ins Badezimmer, hob ihre schwarzen Kleider auf und schlüpfte hinein.

Andrea saß am Küchentisch, als sie mit dem leeren Glas und dem Aschenbecher zurückkam. Er starrte trotzig vor sich hin. Irma setzte sich vorsichtig auf den Stuhl, der am weitesten von ihm entfernt stand.

Ich brauche deine Hilfe, sagte sie.

Sein Kopf schoß hoch. Er starrte sie an.

Irma schenkte sich das Weinglas voll.

Wenn du mir hilfst, höre ich auf, für Hans O. zu arbeiten. Nächsten Monat schon.

Andrea ging zum Kühlschrank und goß sich einen Fruchtsaft ein.

Ich könnte ihn dazu bringen, dich rauszuwerfen, sagte er.

Irma nickte.

Warum regst du dich dann so auf? fragte sie ruhig.

Er schlürfte seinen Saft. Irma zündete sich eine Zigarette an.

Angewidert wedelte er mit der Hand durch die Luft. Das hatte sie erwartet.

Hör zu, sagte sie.

Hör zu. Was denn? Was sollte sie ihm sagen? Sie schwieg.

Andreas Gesichtsausdruck war erst blasiert, dann ungeduldig, und schließlich zeigte er offene Neugier.

Ja, was denn, drängte er.

Irma seufzte.

Meinst du . . . kannst du dir vorstellen . . . sie stotterte. Glaubst du, ein Mann, der . . . ein Familienvater . . . könnte schwul sein, ohne es vielleicht zu wissen?

Andrea runzelte die Stirn.

Ein Familienvater? Angestrengt runzelte er die Stirn. Du meinst, mit Kindern und allem? Irma merkte, wie sie rot wurde. Sie dachte daran, was Nelly gesagt hatte. Sie hatte sich gewundert, daß ihr Sohn überhaupt heiratete . . . daß ihm eine Frau überhaupt gefiel . . . Sie hatte betont, daß er in einer Mädchenschule arbeitete, und geseufzt: Vielleicht ist es besser so.

Irma nickte.

Ein richtiger Familienvater. Er ist ein bißchen schüchtern, aber meinst du, wenn ich . . . wenn du . . .

Andrea griff nach ihrer Zigarettenschachtel und zündete sich eine an.

Ich müßte ihn sehen, dann könnte ich mehr sagen.

Irma gab ihm Feuer.

Ich werde mit ihm in die Bar kommen, nächste Woche.

Andrea beugte sich interessiert vor.

Was hast du mit ihm?

Mit wem?

Dem Familienvater – ist er dein Mann?

Oh, nein, das ist . . . das ist nur . . .

Irma seufzte.

Als Hans O. Meier nach Hause kam, fand er seine Küche vollkommen verraucht, die Wohnung unaufgeräumt, die Badewanne nicht geputzt, Andrea und Irma saßen in der Küche und steckten die Köpfe zusammen.

Kannst du dir das vorstellen, er hat ihre Blusen gebügelt, sagte Irma gerade, als Hans O. Meier die Türe mit einem scharfen Knall zuschlug.

Beide schossen hoch, ängstlich und ertappt.

Komplizen.

Andrea war mit einem Satz bei ihm.

Weißt du schon das neuste, sagte er, Irma will uns verlassen!

Irma stand auf und zog ihre Jacke an.

O nein, nicht jetzt gleich, sagte Andrea. Ich meine, Ende des Jahres, nicht wahr, Irma?

Irma grinste verlegen, die Arme halb in der Jacke hängend.

Aber ich habe zu ihr gesagt, das ist kein Problem, den Haushalt kann ich ja machen, nicht wahr?

Hans O. Meier schüttelte Andrea mit einer winzigen Armbewegung ab. Fragend blickte er Irma an.

Ja, ich, leider, ich muß mich um meine Großmutter kümmern, die nicht ganz gesund ist, und außerdem ist es schon spät, ich sollte sie nicht zu lange allein lassen . . .

Ich fahre Sie nach Hause, sagte Hans O.

Und zu Andrea: Du kannst ja inzwischen schon mal anfangen, hier sauberzumachen.

Hans O. Meier fuhr einen flachen, dunkelgrünen, mit Rosenholz ausgekleideten Jaguar, der wie ein fliegender Teppich durch die Stadt glitt. Gleiten würde, wenn nicht gerade der Feierabendverkehr eingesetzt hätte.

Ich wohne leider ganz am anderen Ende der Stadt, flüsterte Irma leise.

Da saß sie, keine Handbreit von ihm entfernt, sie konnte sein Rasierwasser riechen, vermischt mit seinem strengen Körpergeruch. Sie sah ihn von der Seite an, seine Gesichtszüge waren eingefallen und müde. Sie mußte sich

auf ihre Hände setzen, damit sie sich nicht nach ihm aus-
streckten, um sein Gesicht zu berühren.

Ich hoffe, Andrea hat Sie nicht überredet zu kündigen.
Er ist ein bißchen eigen mit dem Haushalt. Ich würde Sie
gern behalten.

Oh, nein, wirklich, ich . . .

Jetzt sah er sie an, in seinen Augen blinkte etwas Ver-
wegenes.

Ich würde Sie gern alle beide behalten!

Irma schluckte. Sie mußte sich verhört haben. Ihre Ohren wurden heiß, sie hörte das Blut in ihnen rauschen.
Schließlich gelang es ihr zu flüstern:

Meine Großmutter . . .

Hans O. Meier blickte wieder geradeaus auf die Straße.
Er hielt unten an der Ecke vor der Siedlung. Er schaltete
den Motor aus und saß einen Moment schweigend. Dann
griff er mit einem Seufzer nach seiner Brieftasche. Die Art,
wie er ihr das Geld hinblätterte, hatte etwas Verletzendes.
Doch im nächsten Augenblick schenkte er ihr ein warmes
Lächeln und sagte:

Wenn ich irgend etwas für Sie tun kann, wenn Sie Hilfe
brauchen . . . wenden Sie sich lieber an mich als an Andrea.

Danke, flüsterte Irma. Danke.

Sie bat ihn nicht mehr herein. Wie könnte sie auch.

Sieben

Im Hauseingang blieb Irma stehen, drehte sich um und
blickte dem dunkelgrünen fliegenden Teppich nach. Einen
Augenblick lang wollte sie sterben. Sie preßte ein Taschen-

tuch auf die Lippen. Da fuhr er, so nah und doch so unerreichbar. Vielleicht könnte sie eine Geschlechtsumwandlung vornehmen?

Dann schneuzte sie energisch in ihr Taschentuch, knüllte es zusammen und warf es weg. Es war eines aus Papier. Keines aus zarter Spitze. Sterben würde sie auch nicht so schnell.

Als sie am Briefkasten vorbeiging, sah sie etwas Weißes durch den Schlitz blitzen. Sie blieb stehen, öffnete die Klappe, versuchte hineinzusehen. Als sie in der Jackentasche nach ihrem Schlüssel suchte, zitterten ihre Hände. Schließlich gelang es ihr, den Briefkasten zu öffnen.

Ein Brief!

Ein weißer Umschlag, mit schwarzem Filzstift beschriftet. Ihr Name stand darauf, und ihre Adresse. Frankiert und abgestempelt. Sie fuhr mit der Fingerspitze über die Buchstaben. Der erste Brief seit zwei Jahren.

Sie konnte nicht warten, bis sie oben war. Sie riß den Umschlag auf der Treppe auf, im Gehen. Ihre Schritte wurden immer langsamer. Sie blieb stehen.

Eine simple weiße Karte war es, liebevoll von Hand mit einem Peacezeichen und einem Smileface verziert.

Vergiss nicht, um acht das Radio einzuschalten!
Eugen

Irma blickte auf und in den Spiegel, der auf halber Etage im Treppenhaus hing. Sie stand so auf den Stufen, daß sie sich nur bis zur Brust sehen konnte, ganz am unteren Spiegelrand. Sie sah sich: blaß, die Haare zerzaust, die Jacke halb von den Schultern hängend, die Karte in der Hand.

Sie ging hinauf.

Als sie den Schlüssel ins Schloß steckte, roch sie es: Fischstäbchen. Sie runzelte die Stirn.

Die Wohnung war voller Rauch. Irma ging direkt zum Fenster und riß es auf. Nelly saß auf dem Sofa in Rock und Bluse, die Füße in abgewetzten rosa Ballettschuhen von Irma, ein Glas Sherry in der Hand. In der Küche versuchte Reto, die Fischstäbchen zu wenden, die an der Pfanne klebten. Irma sah Nelly an. Nelly lächelte und hob die Schultern. Sie sah glücklich aus.

Was ist denn hier los, fragte Irma und im nächsten Atemzug: Wie spät ist es?

Sieben, sagte Reto.

Und Nelly: Du kommst aber spät heute.

Der Rauch verzog sich langsam. Reto blickte traurig in die Pfanne. Mit dem Spachtel stocherte er in den zerfallenen, schwarzkrustigen Fischstäbchen herum. Irma sah, daß der Tisch gedeckt war: drei Teller, Wassergläser, Mayonnaise und Ketchup.

Reto hat für uns gekocht, sagte Nelly stolz.

Irma nickte.

Ich sehe es.

Sie nahm Reto die Pfanne aus der Hand und kippte den Inhalt in den Mülleimer. Reto ließ die Arme hängen.

Aber Irma, tadelte Nelly sanft.

Irma antwortete nicht. Sie schob Reto etwas grob zur Seite und begann, eine Spaghettisauce vorzubereiten. Im Zwiebelhacken hatte sie große Fortschritte gemacht, die Würfel kippten fein und regelmäßig von der Messerkante, und an das Brennen in den Augen hatte sie sich gewöhnt. Reto wich ihr schüchtern aus. Aus den Augenwinkeln sah Irma, wie er sich neben Nelly auf das Sofa setzte und sich ein Glas Sherry einschenkte. Die Flasche wird bald leer sein, dachte Irma ohne jeden Sinn. Sie glaubte sogar zu sehen, wie er ihre Hand hielt. Wütend hackte sie mit dem großen Messer auf die schwarzen Oliven ein, die sie mit wenigen scharfen Schnitten von den Steinen befreite. Sie hörte, wie sie leise miteinander redeten, so leise, daß sie es nicht einmal verstehen konnte. Sie meint es doch nicht so, hörte sie Nellys Stimme oder glaubte sie zu hören. Das Messer spaltete einen Olivenstein.

Das Rezept kannte sie auswendig. Das einzige, was sie in ihrem früheren Leben kochen konnte: Spaghetti. Spaghetti hatte sie immer für Erich gekocht, wenn ihn seine Kräfte zu verlassen drohten. Sie hackte die Zutaten wie im Traum: Schinken, Oliven, Peperoncini, Knoblauch, glatte Petersilie.

Das zischte im Olivenöl und vertrieb den Geruch nach angebrannten Fischstäbchen. Irma nahm eine Flasche Wein vom Küchenbord, öffnete sie und goß ein Glas voll, das sie in die Pfanne kippte. Dann füllte sie das Glas noch einmal und trank einen Schluck.

Setz dich doch zu uns, rief Nelly. Reto hat uns etwas zu sagen.

Irma legte den Kopf zurück und nahm noch einen großen Schluck Rotwein. Reto! dachte sie. Immer dieser Reto! Und dabei kann er noch nicht einmal kochen.

Sie setzte sich an den Eßtisch, der Stufen höher stand, und blickte eisig auf die beiden herab. Sie hatte sich nicht getäuscht: Sie hielten sich an den Händen.

Nachdem du dich hier schon wie zu Hause fühlst, Reto, sagte sie giftig, darf ich dich vielleicht darauf aufmerksam machen, daß Nelly keine Fischstäbchen mag. Sie braucht etwas Anständiges zu essen, um wieder zu Kräften zu kommen. Und vor allem braucht sie ihre Ruhe.

Aber ich . . . Reto begann zu stottern. Sanft entzog ihm Nelly ihre Hand.

Aber Irma, Liebes, sagte sie leicht vorwurfsvoll. Reto hat es doch nur gut gemeint. Irma drehte das Glas in den

Händen. Als sie den Kopf hob, zwinkerte ihr Nelly zu, ganz sanft.

Irma zwang sich zu einem Lächeln.

Also gut, sagte sie, stand auf und setzte sich zu ihnen. Nicht direkt neben sie aufs Sofa, aber immerhin in ihrer Nähe auf den Boden.

Was hast du uns zu sagen, Reto, fragte sie ein bißchen steif.

Also . . . Reto begann leicht zu stottern. Ich habe die Kassette abgegeben, wie abgemacht. Wie abgemacht? Irma runzelte die Stirn. Abgemacht war, daß wir es noch einmal besprechen! Und das Photo?

Nelly griff wieder nach seiner Hand.

Welches Photo, fragte er verwirrt.

Wir wollten ein Photo machen von dir und Nelly, zum Beweis . . .

Sie hat nicht danach gefragt, sagte Reto.

Das ist kein Grund, antwortete Irma störrisch.

Etwas verwirrt fuhr Reto fort: Sie hat sich sofort darauf gestürzt. Sie sollte den Artikel in wenigen Tagen abgeben, aber ich habe darauf bestanden, daß du ihn lesen kannst, wenn du am nächsten Dienstag wieder hingehst. Sie wollte deine Telefonnummer haben.

Ich habe gar kein Telefon, sagte Irma trocken.

Ich weiß.

Und du, fragte Irma, hast du ihr deinen Namen genannt?

Nein, sagte Reto, nichts. Sie ist auf dich angewiesen.

Gut.

Dann war da noch das Kind . . .

Welches Kind . . .

Der Junge, Eugen.

Ah, Eugen.

Irma erschrak. Ein Kind? War Eugen noch ein Kind?

Er bat mich, dir folgendes auszurichten: Hannes und Christian werden dich nicht mehr lange nerven. Sie sind auf dem direkten Weg nach unten!

Hat er das so gesagt?

Wörtlich. Reto schwieg verwirrt.

Hannes und Christian, wiederholte Nelly langsam.

Irma warf ihr einen vorsichtigen Blick zu. Nelly hob eine Hand.

Mach, was du für richtig hältst. Ich konnte die beiden nie ertragen. Die einzige, die ich wirklich gern habe, ist Sibylle.

Die kleine Ballerina.

Irma stand auf, setzte das Wasser für die Spaghetti auf und räumte die Mayonnaisetuben weg. Als sie ihren Mantel aufhob, um ihn ordentlich aufzuhängen, fiel ihr die Karte wieder in die Hände.

Vergiss nicht, um acht das Radio einzuschalten! Eugen

Welches Radio, verdammt, murmelte sie, ich habe doch gar kein Radio.

Reto war hinter sie getreten.

Was ist mit dem Radio, fragte er.

Ich habe keins, verdammt.

Reto hob die Augenbrauen. Ich habe eins zu Hause, soll ich es holen?

Ach . . . nein, das ist nicht nötig . . .

Doch Reto war schon in seine Lederjacke geschlüpft.

Mit dem Motorrad bin ich in fünf Minuten zurück, sagte er.

Irma lächelte.

Bis dann sind auch die Spaghetti fertig.

Um fünf nach acht stellte Reto das kleine Radio auf den

Tisch und suchte den richtigen Sender. Welchen Sender suchst du überhaupt, fragte er.

Irma zuckte mit den Schultern.

Stop! rief Irma, als sie durch das Rauschen die Schmetterstimme von Ted Herold erkannte:

Warum behandelst du mich
wie ein großes Kind
meine Küsse brennen heißer als der Wüstenwind
Ich bin ein Mann
Yeah, baby, denk daran, ich bin ein Mann
Yeah, yeah, yeah, ich bin ein Mann

Und das ging an eine Prinzessin . . . von Eugen . . . Der nächste Wunsch kommt aus . . .

Irma drehte so heftig am Knopf des Radios, daß sie ihn beinahe abbrach.

Eugen, was, murmelte Reto.

Donnerstag war der Tag, an dem sie zwei Wohnungen putzte. Das bedeutete doppelte Arbeit und kein bezahltes Mittagessen. Den Morgen verbrachte sie bei einem netten, aber leicht verwirrten älteren Herrn, der einst als Forscher durch die Welt gereist war und Irma die unglaublichsten Geschichten erzählte. Wenn er gerade einen klaren Kopf hatte.

Fräulein Irma, begrüßte er sie galant. Wie nett, Sie zu sehen. Er nahm ihr den Mantel ab und hängte ihn sorgfältig auf.

Guten Tag, Professor Dombrowski.

Ich werde einen kleinen Spaziergang machen, sagte er. Sie wissen ja Bescheid.

Irma lächelte.

Ziehen Sie sich erst einmal Schuhe an.

Verwirrt blickte der alte Mann nach unten. In Strümpfen und Regenmantel stand er im Hausflur. Irma schloß die Wohnungstüre. Der alte Mann setzte sich auf einen Stuhl und bückte sich ächzend. Irma sah ihm einen Augenblick lang zu, dann half sie ihm, die Schuhe unter dem Sessel hervorzufischen und anzuziehen. Von seinen Füßen ging ein undefinierbarer Geruch aus. Irma sah durch die fadenscheinigen Strümpfe einen Verband. Eine Mumie, dachte sie. Dabei war er gar nicht so alt. Und er sah gut aus. Irma strich ihm die schulterlangen weißen Haare zurück und setzte ihm einen Hut auf.

Bis später, sagte sie freundlich.

Er lächelte und hob andeutungsweise den Hut. Irma schloß die Türe hinter ihm. Als erstes öffnete sie die Fenster, um den ältlichen Geruch herauszulassen. Nelly roch nie so, dachte sie. Nelly roch nicht alt. Nicht mehr. Die Wohnung von Professor Dombrowski war nicht groß. Die ganze Einrichtung eines herrschaftlichen Hauses drängte sich in zwei Zimmern. Die Wände waren über und über mit gerahmten Photographien, Zeichnungen, Landkarten und sogar ausgestopften Tierköpfen behängt. Viele der Bilder zeigten Professor Dombrowski auf seinen Reisen. Er hatte früher sehr gut ausgesehen, und seine Erscheinung hatte etwas Löwenartiges bewahrt. Sein Charme hatte bei aller Vergeßlichkeit nichts Unschuldiges, bis heute nicht.

Irma hatte es längst aufgegeben, gründlich abstauben oder aufräumen zu wollen. Sie bezog das Bett frisch, füllte den Kühlschrank auf und putzte vor allem Küche und Bad sehr gründlich. Im Badezimmerkästchen fand sie eine Schachtel Kondome.

Das brachte sie auf eine Idee.

Nachmittags von zwei bis sechs putzte sie in einer Wohngemeinschaft. Fünf Zimmer Altbau im Industriequartier. Vier Erwachsene und ein Kind. Irma wurde von der Vermieterin bezahlt, deren Tochter auch in der Wohngemeinschaft lebte. Irma kaute noch an ihrem Sandwich, als sie die Treppe hinaufging.

Bevor Irma klingeln konnte, wurde die Türe von innen aufgerissen.

Oh, Irma, flüsterte Eva, gut, daß du kommst. Eva war sehr jung, knapp zwanzig, klein und zierlich. Sie bewohnte mit der zweijährigen Vanessa das größte und schönste Zimmer in der Wohnung. Ohne Miete zu bezahlen. Eva sah mit ihren blonden Kringellöckchen und den blauen Augen aus wie ein Engel. Ihr Kind war ein wahrer Teufel.

Eva trug rote Samthosen und einen raffinierten Spitzenpullover, den sie selber gestrickt hatte. Sie konnte stundenlang gebückt über einer kniffligen Arbeit sitzen, Perlen auffädeln, sticken, stricken. Ihre Tochter saß derweil ruhig daneben und spielte mit den abgeschnittenen Wollfäden. Vanessa machte nie Lärm, wenn ihre Mutter dabei war.

Ich muß unbedingt schnell weg, fuhr Eva atemlos fort.

Und? Irma runzelte mißtrauisch die Stirn.

Eva schlüpfte in eine alte abgewetzte Lederjacke.

Die Kleine schläft, flüsterte sie. Ich mag sie nicht wekken. Ich bin sowieso in einer Stunde zurück.

Aber ich werde nicht fürs Kinderhüten bezahlt!

Irma kannte das: Kaum war Eva aus dem Haus, entwickelte die hübsche, zarte Vanessa ungeahnte Energien. Zerstörerische Energien. Eva überhörte ihren Einwand.

Vielen, vielen Dank! flüsterte sie und schlüpfte hinaus. Leise zog sie die Türe hinter sich zu. Irma hörte das Trappeln ihrer zierlichen Füße auf der Treppe.

Irma warf einen Blick in das große Zimmer und sah, daß Vanessa tatsächlich schlief. Sie zuckte mit den Schultern und ging in die Küche. Sie schraubte die Espressomaschine auseinander, füllte sie und stellte sie auf den alten Herd.

Der Küchenboden erinnerte sie an den bei Schwarzens. Nur daß die Fliesen zum Teil schon abbröckelten und ihren Glanz verloren hatten. In der Küche stand ein langer Tisch mit zwei Bänken, an dem gut zwanzig Personen Platz hatten. Irma setzte sich und blätterte die Zeitschriften durch. Jeder der drei ursprünglichen Bewohner hatte seine eigene Zeitung abonniert, da die Lesegewohnheiten der einzelnen nicht miteinander vereinbar waren. Das führte wiederum zu einem gewaltigen Altpapierberg, den die Wohngemeinschaft auch nicht diskussionslos hinnehmen konnte. Irma las die Tageszeitung flüchtig, die Leserbriefe, die persönlichen Anzeigen, Unglücksfälle und Verbrechen. Der Kaffee begann in der Maschine zu brodeln. Sie schenkte sich eine Tasse ein. Sie blickte sich um.

Die Küche war eigentlich ziemlich sauber. Irma hatte den Verdacht, daß am Tag bevor sie kam, schon gründlich geputzt wurde. Ein paarmal hatte sie sich an Diskussionen beteiligen müssen, ob es zu verantworten sei, eine Frau für die Dreckarbeit einzustellen. Zu verantworten? Vor wem? hatte Irma dumm gefragt.

Vor dem eigenen Gewissen! hatte einer geantwortet, Peter vielleicht, dem das Diskutieren am leichtesten von den Lippen ging.

Dann wurde gefragt, wie sich Irma denn dabei fühle. Irma hatte mit den Schultern gezuckt. Sie wußte genau, als nächstes käme die Frage, warum sie nicht einer anständigen Arbeit nachginge.

Doch alle Diskussionen konnten nichts an der Tatsache ändern, daß Irma von der Vermieterin bezahlt wurde und sozusagen Bedingung des Mietvertrages war. Die Frau fühlt sich einfach sicherer, wenn eine Putzfrau ab und zu Ordnung schaffte. Auch wenn das gar nicht nötig war. Irma hatte hier nicht viel zu tun. Das würde das Gewissen der Bewohner nicht zulassen. Nicht nur deshalb kam Irma gerne in die Wohngemeinschaft.

Hier passierte immer etwas. Dramen, Szenen, Streit und Tränen. Die Bewohner wechselten, die Beziehungen wechselten, oftmals übers Kreuz, die Bewohner tauschten die Zimmer, zogen zusammen und wieder auseinander, schleppten Zufallsbekanntschaften mit, Liebhaber, verirrte Seelen. Das alles war noch spannender als eine Fernsehserie. Irma fragte sich jedesmal, wenn sie die Treppe hinaufstieg, was wohl wieder passiert war. In der Wohngemeinschaft konnte sie nicht nur offen neugierig sein, sie wurde sogar oft in das Geschehen verwickelt, jemand zog sie in einen Winkel, um über einen anderen zu schimpfen, man bat sie, in einem Streit Partei zu ergreifen oder in einer Diskussion ihre Meinung kundzutun. In den zwei Jahren, in denen sie schon hier putzte, hatte sich so gut wie alles verändert, außer Barbara. Barbara war die Tochter der Vermieterin, eine sportliche kleine Frau mit Pferdeschwanz und durchdringender Stimme. Kein Wunder, sie war Lehrerin. Manchmal gab sie Irma noch extra Geld, damit sie ihr Zimmer mitputzte. Viel Geld, damit sie es vor den anderen nicht erwähnte. Irma hatte sich eigentlich nur um die gemeinsamen Räume zu kümmern. Irma ging gern in Barbaras Zimmer, die dort alle möglichen luxuriösen Kosmetika versteckte sowie seidene Unterwäsche, die man unter ihren praktischen Kleidern und an ihrem viereckigen, muskulösen Körper nicht vermuten würde.

Im Moment lebten außer Eva, Vanessa und Barbara noch zwei Männer in der Wohnung, Stefan und Peter, Liebhaber beziehungsweise Exliebhaber von Barbara. Bis vor kurzem war da noch Heidi gewesen, die Peter gegen Stefan eingetauscht hatte. So ging das oft, Irma hatte sich daran gewöhnt, es verwirrte sie nicht mehr wie am Anfang. Heidi war ausgezogen, als Peter, ihr jetziger und Barbaras Exliebhaber, den Vorschlag gemacht hatte, eine mittellose, alleinerziehende Mutter mit Kind kostenlos in die Wohngemeinschaft aufzunehmen. Aus rein sozialen Gründen, natürlich. Der Vorschlag war nach einer vierstündigen Diskussion angenommen worden. Es hatte sich herausgestellt, daß Peter eine schon sehr genaue Vorstellung von der mittellosen Mutter hatte, daß diese nämlich schon im Café auf der anderen Straßenseite auf die Entscheidung wartete. Er rief sie an, sie kam die Treppe hinauf, fegte Heidi aus dem Weg und drängte sich an Peter. Und so war Heidi ausgezogen.

Irma trank ihren Kaffee aus, faltete die Zeitungen sorgfältig zusammen und begann die Küche nachzuputzen. In der Wohngemeinschaft gab es nur umweltschonende Putzmittel, mit denen man kaum ohne Anstrengung eine gewisse Sauberkeit vortäuschen konnte. Irma kramte in ihrer großen Umhängetasche nach einer Spraydose. Sie sprühte ein ekelerregendes, scharf riechendes Mittel auf die Herdplatten. Der weiße Schaum begann sich sofort zu verfärben, zu zischen, Blasen zu werfen und zu stinken. Irma preßte die Lippen zusammen, hielt den Atem an und wischte den Schaum mit einem feuchten Lappen wieder ab. Der alte Herd war strahlend weiß.

Irma nahm die Fliesen feucht auf, dann ging sie ins Badezimmer. Das Badezimmer war klein. Auf dem Bord reihten sich ordentlich vier Zahngläser, zwei Rasierpinsel und eine Kräutergesichtscreme neben einer Seife, einem Duschbad und einem Haarshampoo.

Eines für alle und nachfüllbar. Das alles zusammen nahm die Hälfte des Bordes ein. Die andere Hälfte, ebenso wie der Medizinschrank und der Badewannenrand und das halbe Waschbecken, war übersät mit einer unglaublichen Menge an Cremen, Salben, Fläschchen, Döschen, billigen Lippenstiften, Lidschattendöschen, Glitter, Nagellack, Silberschmuck, Seifentierchen, Schaumbadkugeln, Minnie-Mouse-Haarshampoos. Am Boden lag eine Wickelmatte mit einer schmutzigen Windel, offen daliegend, stinkend. Irma wich zurück und schloß die Türe hinter sich.

Das nicht, dachte sie.

Im Wohnzimmer stand neuerdings ein Fernseher, verschämt hinter einem überlebensgroßen Pappkopf verborgen. Irma fuhr mit dem Staubsauger über die freien Flächen zwischen zusammengewürfelten Sesseln, Tischen, Stereoanlagen und Topfpflanzen. Gerade als sie sich fragte, wo Eva denn blieb, die halbe Stunde war doch längst vorüber, hörte sie durch das Staubsaugerdröhnen ein langgezogenes Heulen. Irma schaltete den Staubsauger aus und lauschte mit klopfendem Herzen. Das Heulen hatte etwas Unmenschliches. Es kam näher. Immer näher.

Vanessa!

Sie stand in der Türe, das Gesicht verschmiert, allerliebst mit blonden Löckchen, Rüschenkleid und Wollstrumpfhosen. Sie preßte eine Stoffpuppe an sich und rieb sich mit den Fäusten über die Augen. Sie warf Irma einen langen Blick zu, als ob sie sie einzuschätzen versuchte, und legte dann wieder los. Wenn es überhaupt möglich war, hatte sie die Lautstärke noch aufgedreht.

Mit einem Satz war Irma bei ihr, ging in die Knie, riß das Mädchen an sich, drückte sie und redete atemlos auf sie ein.

Sei ruhig, flüsterte sie, um Himmels willen, sei ruhig.

Langsam wurde das Heulen leiser, verstummte schließlich ganz. Vanessa sah Irma von unten prüfend an, schluchzte ein letztes Mal und zog die Nase hoch.

Hunger! sagte sie laut.

Irma nahm die feuchte, heiße Hand der Kleinen und ging mit ihr in die Küche. Sie setzte sie in den Hochstuhl.

Was möchtest du essen, ein Yoghurt?

Irma öffnete den Kühlschrank. Sie nahm ein Yoghurtglas heraus und stellte es vor Vanessa hin. Die Kleine ließ sich einen Löffel in den Mund schieben, noch einen, sie schmatzte nachdenklich und hob dann ohne Vorwarnung das Yoghurtglas hoch und schleuderte es gegen die Wand. Die rosa Masse tropfte langsam auf den Boden. Irma knirschte mit den Zähnen.

Unterdessen war es bald halb vier. Und Eva kam nicht zurück. Vanessa schmierte noch eine Banane über den Tisch, warf ein volles Glas Milch auf den Boden und kletterte dann erstaunlich geschickt aus ihrem Stuhl. Sie lief ins Wohnzimmer. In den wenigen Sekunden, die Irma brauchte, um sich zu fassen und ihr nachzulaufen, hatte sie schon einen fetten Farn ausgetopft.

Genug!

Irma klemmte sich das Kind unter den Arm und schloß es im Badezimmer ein. Das wütende Gebrüll verstummte verblüfft, einen Augenblick lang war es magisch still, und dann begann ein rhythmisches, entschlossenes Klirren und Scheppern. Irma zuckte mit den Schultern. Die meisten Sachen gehörten Eva . . .

Irma legte sich mit einer großen Blechdose voll hausgemachter Butterkekse aufs Sofa und warf den Fernseher an.

Als erster kam Stefan nach Hause, Barbaras Freund, ein komplizierter und schweigsamer Mensch. Er grüßte Irma mit einem Hochziehen der Augenbrauen und ging dann in die Küche.

Irma drehte den Ton leiser. Sie wartete auf eine Reaktion. Die kam dann auch.

Stefan stürmte wütend ins Wohnzimmer.

Was fällt dir eigentlich ein, fragte er außer sich, mein Yoghurt aufzuessen. Das Glas war schließlich deutlich angeschrieben!

Irma stand auf. Das hatte sie nicht erwartet.

Ich habe es nicht gegessen, verteidigte sie sich. Vanessa hat es an die Wand geworfen. Und ich bin nicht zum Babysitten angestellt.

Das macht keinen Unterschied, erklärte er. Es war mein Yoghurt!

Zum Glück kam Barbara nach Hause, die Irmas Schrei: «Ich kündige!» mit der gebührenden Verzweiflung aufnahm. Aufgeregt rannte sie hin und her und versprach Irma alles mögliche: mehr Geld, weniger Arbeit, Nachhilfeunterricht, ein Zimmer in der Wohnung ... Irma verschränkte die Arme und blieb ungerührt. Als nächster kam Peter nach Hause.

Wo ist Eva, war seine erste Frage.

Wo ist Vanessa, die zweite.

Niemand wagte die Badezimmertüre aufzuschließen, hinter der ein verdächtig fröhliches Quäken zu hören war. Es war Peter, der sich entschloß, nachdem er Irma eine Barbarin genannt hatte. Vorsichtig drehte er an dem Türknauf.

Vanessa hatte den Inhalt ihrer Windel an die Wand geschmiert. Jetzt war sie damit beschäftigt, mit den Fingern die Lippenstifte auszukratzen und am Boden abzustreichen. Barbara packte das Kind und stellte es unter die Dusche. Die beiden Männer kommentierten interessiert die Schmierereien. Irma schien es, als betrachteten sie das quengelnde Kind mit ganz neuen Augen, beinahe mit einer gewissen Achtung. Um Irma jedenfalls kümmerte sich keiner mehr. Sie schlüpfte in ihre Jacke. Barbara brach in Tränen aus. Irma konnte es ihr nicht verdenken.

In diesem Moment kam Eva nach Hause. Sie riß ihre babyblauen Augen auf:

Mein Gott, flüsterte sie, was habt ihr mit ihr gemacht?

Sie hob Vanessa auf und trug sie ohne ein weiteres Wort in ihr Zimmer. Der Blick, den die Kleine über Evas Schulter zurückwarf, war triumphierend.

Die beiden Männer stürzten an die verschlossene Zimmertüre, hämmerten dagegen und riefen abwechslungsweise:

Laß uns doch hinein!

Wir können alles erklären!

Bitte!

Irma und Barbara putzten das Badezimmer und dann die Küche. Barbara liefen die ganze Zeit die Tränen übers Gesicht. Am liebsten würde sie Eva hinauswerfen, aber das konnte sie nicht. Man stellt eine junge, alleinerziehende Mutter ohne Arbeit, ohne Geld, von der Sozialhilfe abhängig, nicht auf die Straße. Das tut man einfach nicht.

Als sie fertig waren, gab sie Irma den dreifachen Lohn und bat sie noch einmal inständig wiederzukommen. Wenigstens noch einmal. Irma akzeptierte. Sie hatte noch eine Idee.

Abends um acht schaltete Irma das Radio ein. Es erstaunte sie nicht, das Lied zu hören. Warum behandelst du mich wie ein großes Kind . . .

Du bist ein Kind, dachte sie verwirrt, oder etwa nicht? War man heute mit dreizehn kein Kind mehr?

Meine Küsse brennen heißer als der Wüstenwind . . .

Das war allerdings wahr.

Nelly, sagte Irma, morgen ist Sonntag.

Ich weiß, sagte Nelly.

Ich habe jemanden zum Tee eingeladen. Professor Dombrowski.

Oh, wie nett. Ein Freund von dir?

Nicht direkt. Irma zögerte. Ich arbeite für ihn und . . . ich glaube, er fühlt sich manchmal etwas einsam.

Nelly runzelte die Stirn.

Irma deckte den Tisch mit Trockenblumen und Kerzen. Sie hatte nichts dem Zufall überlassen. Sie servierte Tee, wie sie es in einem englischen Kriminalroman nachgelesen hatte: mit Gurkensandwiches, Butterkuchen, Ingwerkeksen und Rosinenbrötchen. Das alles hatte sie in einem Delikatessenladen besorgt. Sie hatte sogar eine neue Teekanne gekauft. Es war alles bereit.

Nelly kam die Treppe herunter. Sie trug ihr zartgemustertes Kleid, die Haare hochgesteckt, Ballettschuhe. Sie hatte immer noch keine eigenen Schuhe, und die von Irma paßten ihr nicht. Nelly trug Schuhgröße 35. Irma 43.

Nelly setzte sich ein bißchen steif auf das Sofa.

Hübsch hast du das gemacht.

Danke.

Irma warf einen Blick auf die Uhr. Professor Dombrowski ließ auf sich warten. Das hätte sie sich denken können. Nelly faltete die Hände im Schoß und blickte unbeteiligt vor sich hin. Ihr Profil hatte eine eigensinnige Linie. Irma wurde immer unsicherer. Die Idee war vielleicht doch nicht so gut gewesen. Sie lächelte verkrampft.

Die Türklingel, endlich. Irma sprang auf.

Das wird er sein, sagte Nelly. Irma öffnete die Tür.

Vor ihr stand Reto. In Anzug, Hemd und Krawatte, mit einem Blumenstrauß in der Hand, einem kleinen runden, gebundenen Strauß, wie man ihn einer alten Dame zum Tee mitbringt. Bis auf die Motorradstiefel war er perfekt.

Reto, stammelte Irma.

Reto, wie nett!

Nelly stand auf und kam ihm entgegen, beide Hände ausgestreckt. Er nahm sie beide und küßte sie einzeln. Nicht so, wie man es in Filmen sah, tief darüber gebeugt, nein, er riß eine Hand nach der anderen an seine Lippen. Nelly errötete. Irma räusperte sich. Dann klingelte es noch einmal. Irma atmete einmal tief durch und öffnete die Türe. Professor Dombrowski stand draußen. Er trug seinen fleckigen Mantel. Und keine Schuhe.

Treten Sie ein, sagte Irma matt.

Sie half dem alten Mann aus dem Regenmantel. Darunter trug er einen mottenzerfressenen Smoking mit Kummerbund und weißem Seidenschal. Vom Hemd hatte er offenbar nur noch die gestärkte Brust gefunden und mit brüchigen Riemen an seinem Unterhemd befestigt. Bei jeder Bewegung knarrte die Hemdbrust, und die Schnallen blitzten. Der Smoking war auch zu eng und stand über dem Bauch offen. Die langen, weißen Haare hatte er zurückgebürstet und mit einem duftenden Öl eingerieben. Irma sah ihn voller Bewunderung an.

Gut sehen Sie aus, Professor, sagte sie zufrieden und stellte ihn den anderen vor. Auch der Professor küßte Nellys Hand, nur eine natürlich, und nur zart.

Ein Punkt, registrierte Irma, ein Punkt für den Professor.

Irma schenkte den Tee ein. Sie bat Reto, die Sandwiches herumzureichen, denn sie wußte, daß sie leicht auseinanderfielen. Reto stellte sich nicht sehr geschickt an. Nelly nahm ihm den Teller aus der Hand.

Zwei Punkte.

Wie ich höre, waren Sie in der Forschung tätig, fragte Nelly höflich.

O ja, der Professor griff nach seinem Teller, aber lassen Sie mich nicht ins Fachsimpeln kommen. Es wäre zu schade um diesen wunderschönen Nachmittag.

Drei Punkte. Reto rutschte ans Ende des Sofas. Doch dann begann der Professor, sich mit Sandwiches und Kuchen vollzustopfen und den Tee zu schlürfen, während er noch kaute. So daß in kürzester Zeit seine Hemdbrust, seine Hosenbeine und das Stück Teppichboden zwischen seinen Füßen vollkommen bekleckert waren. Die Geräusche, die er dabei von sich gab, waren faszinierend. Eine unerträglich lange Zeit sprach niemand.

Wunderbar, sagte der Professor mit vollem Mund, einfach wunderbar, dieser Butterkuchen. Ah!

Und er rülpste dröhnend.

Irma wußte, daß es verloren war.

Zwei Stunden lang hörten sie sich Geschichten von zweifelhaftem Humor an. Es ging um Frauen, die der Professor auf seinen Reisen kennengelernt hatte. Obwohl sie manchmal ganz gegen ihren Willen laut lachen mußte, entging ihr doch nicht, daß Reto wieder in die Mitte des Sofas gerutscht war. Er saß jetzt ganz dicht neben Nelly.

Als sich der Professor endlich verabschiedete, gelang es Nelly, ihm ihre Hand zu entziehen, bevor er sie küssen konnte.

Irma half ihm in seinen fleckigen Mantel.

Auf Wiedersehen, Professor, bis nächsten Donnerstag.

Dann ging er. Ein alter Mann auf Strümpfen.

Hat er denn keine Schuhe? fragte Nelly.

Doch, doch, er vergißt sie nur manchmal anzuziehen.

Nelly nickte. Dann legte sie die Beine auf die Sofalehne und streifte die Ballettschuhe ab. Sie betrachtete ihre zarten Füße in den dünnen Strümpfen. Ihre Zehen waren ganz gerade. Ihre Nägel rosa lackiert.

Schuhe, Irma, sagte sie, wir haben vergessen, Schuhe zu kaufen.

Ich weiß, sagte Irma. Sie räumte die halbleeren Teller in die Küche und stapelte sie ins Spülbecken. Sie blickte über ihre Schulter, Reto kniete am Boden und hielt Nellys Füße zwischen seinen Händen. Irma stellte die Teller mit einem Ruck ab und drehte den Heißwasserhahn auf. Beim Abwaschen zerbrach sie zwei Tassen.

Acht

Irma fürchtete sich nicht mehr vor dem Montag. Oder dem Freitag. Ihre Wochenenden wurden nicht mehr von diesen beiden Terminen im Hause Schwarz zerquetscht. Obwohl sie manchmal immer noch am Sonntag eine Dummheit beging, wie zum Beispiel, einen möglichen Verehrer für Nelly zum Tee einzuladen.

Sie saß früh genug in der Straßenbahn. Ausgeschlafen. Nicht verkatert. Seit Nelly bei ihr wohnte, putzte sie jeden Abend vor dem Ins-Bett-Gehen die Zähne. Das war nur ein Detail, aber es bewirkte, daß sie sich morgens frisch fühlte. Sie trank weniger, sie schlief mehr, sie kam nach der Arbeit direkt nach Hause und kochte ein richtiges Essen. Irma nickte ihrem Spiegelbild in der beschlagenen Scheibe zu.

Das Haus der Familie Schwarz wirkte verlassen und kalt. Irma klingelte zweimal an der Türe. Nichts rührte sich. Vorsichtig drückte sie auf die Türfalle. Die Türe war fest verschlossen. Irma klingelte noch einmal, endlich wurde ihr geöffnet.

Frau Doktor Schwarz stand in Nachthemd und Morgenrock vor ihr, ungekämmt, blaß, mit tiefen Schatten unter den Augen. Sie musterte Irma verwirrt.

Was wollen Sie . . . ach Irma, Sie sind es.

Sie öffnete die Türe ganz und ließ sie hinein. Als Irma an ihr vorbeiging, roch sie ihren fauligen Atem. Es ging schneller, als sie gedacht hatte.

Mein Gott, ist es schon acht Uhr, murmelte sie. Und dann, ohne Vorwarnung, gellte ihre Stimme durch das Haus:

Aufwachen! Aufwacheeeeen!

Irma schluckte leer.

Frau Doktor Schwarz stieg die Treppen hoch. Ihre Holzsohlen klapperten auf den Treppenstufen.

Irma ging in die Küche. Sie schaltete die Kaffeemaschine ein. Die Küche war unordentlich und schmutzig. Irma öffnete den Kühlschrank und fand ein angebissenes Stück Käse und eine verfaulte Zitrone. Irma nahm den Käse heraus und betrachtete ihn genau. Es war ein schönes, großes Stück Greyerzerkäse mit einem perfekten, runden Beißrand genau in der Mitte. Irma legte den Käse auf ein Tellerchen und stellte es auf den Tisch.

Es war weder Brot noch Butter, noch Milch im Haus. Irma schüttelte den Kopf. Im Tiefkühlfach fand sie gefrorene Brötchen, die sie in den Ofen schob. Die Kaffeemaschine lief zum Glück.

Frau Doktor Schwarz kam nach unten. Vollkommen verwirrt.

Die Buben sind nicht in ihren Zimmern, sagte sie tonlos. Ihre Betten sind nicht einmal benutzt.

Irma lächelte.

Das ist doch normal in dem Alter.

Frau Doktor Schwarz streckte sich.

Nicht bei uns, sagte sie wütend. Nicht bei uns!

Herr Schwarz streckte den Kopf zur Türe herein. Er war fertig angezogen und ordentlich frisiert. Er streckte seinen Arm durch die Türe und angelte nach einem Apfel auf dem Küchenbord. Wortlos verließ er das Haus.

Irma deckte den Tisch. Als der Kaffee fertig war, stellte sie die Kanne auf den Tisch und begann dann, das schmutzige Geschirr, das seit Tagen herumstehen mußte, in die Abwaschmaschine zu räumen. Die beiden Mädchen kamen mit gesenkten Köpfen herein und setzten sich an den Tisch, ohne ihre Mutter anzuschauen. Edith hatte sich die Lippen mit süßlich riechender Paste beschmiert und die Augen blau umrandet. Sie mußte es einige Male versucht und wieder abgerieben haben. Ihre Lider waren gerötet, geschwollen und verschmiert. Als alle saßen, entdeckte Frau Doktor Schwarz den angebissenen Käse.

Was soll das heißen? schrie sie.

Sie sprang auf und hielt den Käse anklagend hoch. Was soll das heißen? schrie sie noch einmal. Verdammt, das ist der Anfang vom Ende!

Sibylle, die an einem Knäckebrot nagte, nickte und murmelte etwas vor sich hin. Ihre langen farblosen Haare fielen über das knochige Gesicht.

Was hast du gesagt? schimpfte ihre Mutter. Kannst du nicht laut und deutlich reden, damit wir verstehen, was du sagst?

Sibylle senkte den Kopf noch tiefer.

Das kommt alles von dem verdammten Ballett! Eines sage ich dir, du wirst nie, nie, nie auf diese Ballettakademie gehen!

Irma beobachtete die Szene. Das Mädchen warf das Kinn hoch und sah ihre Mutter wütend an. Sie war in dem Alter, in dem man für ein Pony oder eine Ballettstunde die eigenen Eltern im Schlaf ermorden würde.

Die beiden Mädchen standen auf und verließen die Küche ohne ein weiteres Wort. Frau Doktor Schwarz sah einen Augenblick lang so aus, als wolle sie ihnen den Käse nachwerfen. Im letzten Augenblick besann sie sich und legte ihn betont ruhig auf den Teller. Sie atmete tief durch, wischte sich die Hände am Morgenrock ab und bat Irma mit einer Handbewegung, sich hinzusetzen und eine Tasse Kaffee zu trinken. Irma setzte sich auf eine Stuhlkante und schenkte sich in eine der leergebliebenen Tassen ein.

Es ist doch so, sagte Frau Doktor Schwarz, ein Mädchen braucht eine solide Ausbildung. Wo sind wir denn hier! Eine Ballettänzerin ist doch mit dreißig am Ende. Und für die Knochen ist es auch nichts! Eine Frau mit dreißig, ohne Ausbildung, mit verkümmerten Gelenken . . . Was soll denn aus ihr werden! Dafür haben wir doch nicht gekämpft!

Ich war auch in einer Ballettschule, sagte Irma.

Sehen Sie! Und was sind Sie jetzt! Putzfrau!

Frau Doktor Schwarz hatte jedes Taktgefühl verloren. Irma fragte sich, ob sie wohl noch betrunken war.

Sie fing gerade wieder an, von der Abendschule zu sprechen, mit der Irma ihren Schulabschluß nachholen konnte, als das Telefon klingelte.

Das Thema ist noch nicht abgeschlossen, rief Frau Doktor Schwarz über die Schulter, als sie in die Diele ging, um den Hörer abzuheben. Als sie zurückkam, war sie blaß.

Ich muß sofort gehen, ich habe in einer halben Stunde eine Rede zu halten. Mein Gott . . . ich muß mich anziehen . . .

Sie rannte die Treppe hinauf. Irma hatte kaum Zeit, Regenmantel und Schirm bereitzuhalten, als sie schon sauber und frisch gewaschen, angekleidet und frisiert die Treppe hinuntertrampelte. Der bevorstehende Termin hatte sie belebt.

Machen Sie unterdessen ordentlich sauber! rief sie mit ihrer alten Befehlsstimme. Sie wissen ja Bescheid!

Sie schlug die Türe hinter sich zu.

Irma nahm die Frischbackbrötchen aus dem Ofen. Sie waren goldbraun und knusprig. Sie schnitt den angebissenen Käse in Scheiben und legte ihn in die dampfendheißen Brötchen, wo er sanft schmolz. Sie aß sie alle sechs. Dann klingelte es an der Tür. Irma schluckte den letzten Bissen hinunter, während sie die Türe öffnete. Draußen standen die beiden Jungen. Sie wirkten zerzaust und trotzig. Ihre Gesichter waren unnatürlich gerötet. Als hätte man sie geohrfeigt. Der Jüngere, Christian, sah aus, als würde er gleich weinen. Hinter ihnen stand ein Mann in grauem Anzug mit grauen Haaren, die unordentlich um seinen Kopf drapiert lagen. Er schien außer sich zu sein. Sein Atem ging pfeifend.

Sind Sie die Mutter? fragte er.

Irma schüttelte den Kopf. Sah er das nicht?

Das ist nur die Putzfrau, sagte der Ältere, Hannes, gehässig und wurde dafür am Ohr gerissen. Irma starrte auf die Hand des Grauen. Er hatte ihn tatsächlich am Ohr gerissen. Einen Achtzehnjährigen. Irma wartete, was weiter geschah, aber es geschah nichts.

Und wo ist die Mutter? fragte der Mann ungehalten, als sei allein die Abwesenheit dieser Person Ursache allen Ärgers oder erkläre ihn zumindest zur Hälfte.

Die Mutter!

Die hält eine Rede, gab Irma unschuldig zur Antwort.

Aha. So so. Nun, dann übergeben Sie ihr diesen Umschlag. Persönlich!

Er überreichte ihr ein amtlich aussehendes Couvert.

Aber das ist unsere Putzfrau! rief Hannes empört.

Diese gute Frau, sagte der Mann streng, geht einer anständigen Arbeit nach und kann euch nur ein Vorbild sein!

Passen Sie auf die beiden auf, sagte er, etwas freundlicher, zu Irma. Sie sind vom Schulbesuch ausgeschlossen.

Zum Kinderhüten bin ich nicht angestellt, murrte Irma.

Das ging den Herrn von der Schule nun nichts mehr an. Er drehte sich um und ging zum Gartentor. Die beiden Jungen standen mit geballten Fäusten vor Irma und musterten sie drohend. Der Atem des Älteren ging keuchend. Er ist fast so groß wie ich, dachte Irma plötzlich beunruhigt. Doch dann verzichtete er darauf, etwas zu sagen, zog seinen Bruder am Ärmel und verschwand mit ihm nach oben. Irma nahm den Umschlag mit in die Küche.

Es paßte ihr nicht recht, daß die beiden nun im Haus waren. Sie hätte zu gern noch etwas in Ediths Tagebuch geblättert. Statt dessen hielt sie den Umschlag über den Wasserdampf und öffnete ihn.

Die beiden Jungen waren beim Verkauf von Drogen an jüngere Schüler erwischt worden. Sie waren mit sofortiger Wirkung vom Schulbesuch ausgeschlossen. Die Schulleitung behielt sich eine Strafanklage vor. Irma hielt den Atem an.

Eugen, dachte sie, Eugen.

Sie klebte den Umschlag sorgfältig wieder zu und legte ihn auf den Küchentisch. Dann begann sie im Wohnzimmer mit Staubsaugen. Dabei ließ sie die Türe zum Flur offen, damit sie sehen konnte, ob jemand das Haus betrat oder verließ. Nachlässig fuhr sie über die alten Teppiche, die scheinbar planlos auf dem glänzenden Parkett lagen. Eßzimmer, Wohnzimmer und Bibliothek gingen offen ineinander über, drei warme, dunkle Räume. Am Eßtisch standen sechzehn Stühle mit hohen Lehnen, und über dem Tisch hing ein italienischer Leuchter, aber Irma hatte noch nie bemerkt, daß das Zimmer benutzt worden war. Die Schwarzens schienen nie Besuch zu haben.

Ein bißchen später verließen die Jungen türenschlagend das Haus. Im selben Moment klingelte das Telefon. Irma zögerte einen Moment, dann hob sie ab.

Hier bei Schwarz, sagte sie.

Nichts. Sie hörte einen zögernden Atemzug.

Ja? sagte sie noch einmal, hier bei Schwarz.

Irma?

Sie hielt den Atem an.

Eugen?

Irma preßte den Hörer mit beiden Händen ans Ohr. Sie zitterte. Obwohl es nichts mehr zu hören gab. Nur schwere Atemzüge. Ihre eigenen?

Eugen faßte sich als erster.

Was machst du denn da?

Putzen, gelang es Irma zu antworten.

Ach so. Eugen zögerte. Kannst du sprechen?

Ja.

Wegen den beiden Jungs . . .

Sie sind eben von der Schule geflogen, sagte Irma, vielen Dank.

So schnell? Mein Gott, sind die vielleicht blöd.

Ja.

Wieder schwiegen sie eine Weile.

Wenn ich noch etwas für dich tun kann . . .

Danke, sagte Irma und legte den Hörer auf die Gabel. Ganz vorsichtig. Dann stand sie noch eine Weile so da, beide Hände auf den stummen Hörer gelegt.

Kurz nach zwölf kamen die Mädchen nach Hause. Sie zogen ihre Mäntel aus und setzten sich an den Küchentisch. Sie warteten schweigend. Frau Doktor Schwarz kam nicht nach Hause. Um Viertel vor eins schlug Irma vor, eine Pizza in den Ofen zu schieben.

Pizza? Edith runzelte die Stirn. So etwas haben wir nicht.

Irma hob die Augenbrauen.

Pizza ist ungesund, beharrte Edith. Den Lippenstift hatte sie sich während des langen Vormittags in der Schule von den Lippen genagt. Irma öffnete das Tiefkühlfach. Keine Pizza.

Ich mache euch Risipisi, sagte Irma. Das habe ich als Kind gern gegessen.

Sie setzte den Reis auf und leerte ein Büchse Erbsen dazu.

Meine Großmutter hat mir das Kochen beigebracht, sagte Irma lächelnd. Sie bereute diesen grausamen Scherz sofort, als sie sah, wie Sibylles Augen sich mit Tränen füllten und ihre Unterlippe zu zittern begann.

Irma deckte den Tisch und verteilte den dampfenden Reis in die Teller. Edith aß unverdrossen. Sibylle stocherte lustlos mit der Gabel in ihrem Teller herum, schob alle Erbsen auf eine Seite und den Reis auf die andere. Ihre Unterlippe zitterte immer noch unter dem dichten Haarvorhang, der ihr Gesicht verdeckte. Irma schämte sich.

Iß, sagte sie leise, du weißt doch, Tänzerinnen brauchen Energie.

Sibylle lächelte zaghaft und strich sich die Haare hinter die Ohren. Ihr Gesicht war etwas blaß.

Sie ist aber keine Tänzerin, protestierte Edith, Mama läßt sie nie auf die Ballettakademie gehen! Niemals!

Das werden wir ja sehen!

Irmas Blick traf den von Sibylle. Sie dachte wieder an das doppelstöckige Brot und die offene Türe im Keller. Sie wird auf diese blöde Akademie gehen, beschloß sie. Sie nickte Sibylle aufmunternd zu. Das Mädchen errötete und beugte sich tiefer über den Teller. Langsam begann sie zu essen.

Ich will Schriftstellerin werden, fuhr Edith unbekümmert fort, das kann ich auch nach der Schule, oder nach dem Studium noch besser.

Sie zeigte ihre Zähne, zwischen denen ein Petersilienblättchen klemmte.

Am Nachmittag war Irma allein. Sie las in Ediths Tagebuch:

3. 12. Sibylle trainiert immer noch für dieses blöde Vortanzen. Ich habe Mama gesagt, was sie vorhat. Mama war außer sich. Tänzerin ist kein gleichberechtigter Frauenberuf, hat sie gesagt. Ich selber möchte Schriftstellerin werden. Mein letzter Aufsatz war wieder nur der zweitbeste. Rate mal, liebes Tagebuch, welches der beste war. Der von TONY. Genau.

4. 12. Sibylle spricht nicht mehr mit mir. Mama hat ihr verboten, in die Ballettstunde zu gehen, aber sie geht natürlich doch hin. Ich glaube, Mama MERKT es nicht einmal. Papa hat vor dem Abendessen den ganzen Schnaps, der in der Karaffe war, ausgetrunken.

5. 12. Papa hat in der Bibliothek geschlafen. In den KLEIDERN! Mama hat in seiner Schule angerufen, daß er krank ist. Heute habe ich gesehen, wie Hannes und Christian in der Pause mit diesem GRÄSSLICHEN Eugen geredet haben, diesem NEGER! Jeder weiß, daß er die Schule schwänzt und heimlich raucht, wenn nicht sogar noch SCHLIMMERES. Sogar auf dem Pausenplatz!!! Einmal hat er ein Photo von einer nackten Frau mitgebracht und im KLASSENZIMMER aufgehängt.

6. 2. Die andere Karaffe war heute auch leer. Ich habe meine Augen geschminkt. Ich weiß nicht, ob Tony den Unterschied bemerkt hat. Ich habe ihn gebeten, sein Aufsatzheft lesen zu dürfen. Er hat es mir über MITTAG

ausgeliehen!!! Ich habe das ganze Heft ABGESCHRIEBEN!! Jedes Wort! Ich glaube, Mama hat nicht einmal gemerkt, daß ich nicht zum Essen gekommen bin. Ich habe eine Blase am Zeigefinger.

Frau Doktor Schwarz kam am frühen Nachmittag nach Hause. Sie wirkte beschwingt, aber ein bißchen aufgelöst. Sie hatte einen leichten Schwips.

Die Rede war ein voller Erfolg, sagte sie. Sie zog ihren Mantel aus und hängte ihn so ungeschickt auf, daß er wieder vom Haken rutschte. Irma hob ihn auf.

Das freut mich, sagte sie.

Frau Doktor Schwarz ging in die Küche.

Ich habe gerade Kaffee gemacht, sagte Irma und schenkte ihr eine Tasse ein.

Frau Doktor Schwarz nahm die Tasse und trank einen Schluck.

Stehender Applaus, sagte sie träumerisch, stellen Sie sich das einmal vor.

Dann faßte sie ihre Rede für Irma zusammen:

Es geht um Abtreibung, verstehen Sie? Ich bin dagegen. Abtreibung ist Mord! Allerdings muß man auch etwas dafür tun, daß eine junge Frau überhaupt die Möglichkeit hat, ihr Kind zu behalten. Teilzeitarbeit, Kleinkindergarten, Tagesschulen, vom Staat bezahlte Tagesmütter, Erziehungsbeihilfen, Sie verstehen das Prinzip, oder? Ich habe doch recht, oder?

Irma nickte. Das war die Rede, die sie gelesen hatte. Sie wußte, wie es weiterging.

Ich selber habe vier Kinder großgezogen und immer gearbeitet. Allerdings gebe ich zu, daß ich privilegiert bin: Mein Mann hat sich nie von mir bedienen lassen. Außerdem ist alles eine Frage der Organisation.

Und der Angestellten, dachte Irma.

Es gibt da ein schönes Zitat, fuhr Frau Doktor Schwarz fort, das besagt, eine Familie ist wie eine Party. Sie können von Anfang an die Zahl der Gäste festlegen, oder Sie halten ihre Türe offen für jeden, der kommen will. Das sagte eine Frau, die dreizehn Kinder hat, und ich gebe ihr recht. Ich selber habe vier Kinder . . . aber das habe ich schon gesagt, schloß sie verwirrt.

Irma schenkte ihr Kaffee nach.

Die Rede ist sehr gut angekommen, wiederholte Frau Doktor Schwarz befriedigt. Journalisten waren auch da. Ich glaube fast, meine Rede wird abgedruckt. Oder mindestens ein Teil davon.

Wie schön, sagte Irma. Sie haben ja so recht. Ich kenne da ein junges Mädchen, das gegen den Willen seiner Eltern ihr Kind behalten hat. Und jetzt muß sie sich ganz allein durchschlagen. Sie hat keine Arbeit und wohnt in einer Wohngemeinschaft, wo sich niemand um das Kind kümmert. Neulich war es im Badezimmer eingeschlossen, stundenlang, mit einer schmutzigen Windel . . .

Also wirklich!

Ja, und ich habe gehört, wie sie gesagt hat, hätte ich doch abgetrieben.

Genau das ist es! Frau Doktor Schwarz schlug mit der flachen Hand auf den Tisch. Man darf diese Frauen nicht allein lassen! Es ist unsere Pflicht, ihnen und ihren Kindern zu helfen, das Leben zu meistern. Damit Abtreibungen gar nicht mehr nötig sind.

Genau, sagte Irma, und die junge Frau steht demnächst auf der Straße.

Oh.

Frau Doktor Schwarz runzelte die Stirn. Vor zwei Wochen noch wäre sie nicht darauf hereingefallen. Aber sie war schon nicht mehr ganz sie selber. Sie witterte eine Falle, konnte das Gefühl aber nicht einordnen und spülte es mit heißem Kaffee hinunter. Vielleicht könnten Sie sich einmal mit der jungen Frau treffen, schlug Irma schüchtern vor, und mit ihr reden. Das würde ihr sicher sehr viel geben!

Frau Doktor Schwarz lächelte geschmeichelt. Natürlich, sagte sie, das mache ich doch gern. Das ist doch selbstverständlich. Schicken Sie sie vorbei.

Danke, sagte Irma.

Den Rest würde Eva selber besorgen. Da machte sich Irma keine Gedanken.

Neun

Irma kam nach Hause. Nelly war nicht da.

Irma hatte eingekauft: Kaninchenschulter, Oliven, Tomaten. Sie stellte die Einkaufstüte auf den Küchentisch und rief leise:

Nelly? Bist du oben?

Keine Antwort. Ohne den Mantel auszuziehen, ging Irma nach oben. Nelly war nicht da. Sie war nicht im Badezimmer und auch nicht auf dem Balkon. Irma zögerte nur kurz. Sie öffnete leise die Tür zur Toilette.

Nelly?

Nicht da.

Irma ging wieder hinunter. Die Wohnung, das sah sie auf einen Blick, war leer. Irma faßte sich mit einer Hand an den Hals. War die Wohnungstüre verschlossen gewesen? Sie konnte sich nicht erinnern.

Irma lief wieder nach oben. Nellys Kleider hingen noch

im Schrank. Ihre Zahnbürste stand noch im Becher. Ihre Haarbürste lag auf dem Spiegelbord.

Hatte man sie abgeholt, so wie sie war? Hatte man sie in ein Heim gebracht? Zurück in den Keller?

Irma lief nach draußen, irrte zwischen den Wohnblöcken in der Siedlung herum und rief laut nach Nelly wie nach einem verirrten Kätzchen. Und wenn sie in der Zwischenzeit zurückgekommen war? Hatte sie nun die Wohnung abgeschlossen oder nicht? Hatte Nelly vielleicht den Zweitschlüssel mitgenommen?

Es wurde langsam dunkel. Irma ging zurück. Mechanisch zog sie den Mantel aus und räumte die Einkäufe weg. Sie lehnte das Kochbuch aufgeschlagen gegen die Wand und ging daran, Schritt für Schritt das Kaninchenragout mit grünen Oliven nachzukochen. Ganz allein. Mit der Zungenspitze leckte sie die Tränen ab, die über ihre Wangen liefen. Vom Zwiebelschneiden.

Sie schob das Kaninchen in den Ofen, wo es langsam garen sollte.

Bis das Kaninchen fertig ist, ist Nelly zurück, dachte Irma. Ganz bestimmt.

Sie schenkte sich einen Ramazotti ein und setzte sich vor den Fernseher. Sie schaltete zwischen den drei Sendern hin und her, ohne etwas zu sehen.

Aus dem Ofen kam der Duft des geschmorten Kaninchens. Irma warf einen Blick auf die Uhr. Bald konnte man es essen.

Ein Geräusch an der Türe. Irma sprang auf.

Nelly trug einen neuen, dunkelgrünen Wintermantel, passende Schuhe, Handtasche und einen kleinen, runden Hut. Ihre Wangen waren von der Kälte gerötet. Hinter ihr stand Reto, mit Tüten und Schachteln beladen. Beide lachten.

Nelly!

Irmas Stimme zitterte. Sie ließ die Arme hängen. Kleines, sagte Nelly, schau mal, was ich alles gekauft habe!

Irma preßte die Lippen zusammen. Schon wieder Tränen.

Nelly fing an, Schuhschachteln auf den Küchentisch zu werfen und Pakete zu öffnen. Reto half ihr dabei.

Sie hatten fünf Paar Schuhe in verschiedenen Farben mit dazu passenden Handtaschen gekauft, drei Hüte, den Mantel, eine Jacke, eine Puderdose, einen Lippenstift in einer goldenen Hülse und einen blauen Cremetiegel, auf dem «Secrèt de bonne femme» stand. Ein paar Seidenfoulards, Gürtel und in einer Tüte, die Nelly nur kurz öffnete und dann beschämt zur Seite schob, feine Unterwäsche und Strümpfe.

Hier ist deine Karte, Liebes, sagte Nelly und schob die Kreditkarte über den Tisch.

Irma explodierte.

So ist das also, schrie sie und stampfte mit dem Fuß auf, während ich hier sitze und auf dich warte, gehst du mit Monsieur Unterwäsche kaufen! Und von meinem Geld! Kann er dir die Hüftgürtel nicht selber bezahlen? Für wen hält er sich eigentlich? Er könnte dein Sohn sein, was sage ich, dein Enkel! Er sucht deine Unterwäsche aus! Und ich sitze hier und warte auf dich . . . Ich dachte, du seist verschwunden . . .

Irmas Stimme war kaum mehr zu verstehen. Reto duckte sich hinter die Berge von Seidenpapier und Pappschachteln. Irma schluchzte laut. Nelly streichelte ihren Arm. Ist ja gut, Kleines, flüsterte sie, ist ja gut.

Währenddessen verschmorte das Kaninchen im Ofen. Schwarzer Rauch quoll in die Küche. Reto wurde weggeschickt, um etwas zu essen zu besorgen.

Ich habe keinen Hunger, schluchzte Irma und warf sich quer über die Sofalehne. Natürlich meinte sie das nicht ernst.

Als Reto mit großen quadratischen Pizzaschachteln zurückkam, hatte sie sich wieder gefaßt.

Ist ja gut, mein Kleines, du bist doch meine Einzige, das weißt du doch, hatte Nelly gemurmelt. Und Irma hatte sich beruhigt. Etwas anderes hatte sie gar nicht hören wollen. Nur das. Genau das.

Verlegen wischte sie sich mit dem Handrücken über das Gesicht.

Pizza, murmelte sie.

Reto stand linkisch neben dem Küchentisch. Nelly räumte die Schachteln und Papiere weg und begann den Tisch zu decken. Nelly schnitt die Pizzas in Dreiecke.

Wegen dem Geld, fing Reto leise an . . .

Schon gut, knurrte Irma.

Sie hatte in den letzten zwei Jahren als Putzfrau ganz gut verdient und wenig ausgegeben, sie glaubte nicht, daß die fünf Paar Schuhe sie ruiniert hatten. Es war nur so, daß sie selber mit Nelly hatte Schuhe kaufen wollen. Und vor allem die Wäsche. Sie konnte nicht verstehen, daß Nelly ausgerechnet mit Reto Unterwäsche kaufen ging. Mit Reto! Sie, die so schamhaft war!

Ich bin im Moment arbeitslos, erklärte Reto, aber ich kann dir das Geld zurückgeben.

Reto ist nämlich Kindergärtner, sagte Nelly, hast du das gewußt?

Ich dachte, du studierst Psychologie, sagte Irma mit vollem Mund.

Hab ich auch, verteidigte sich Reto, es ist nur . . .

Was das Geld angeht, sagte Nelly, die ihr Stück Pizza mit Messer und Gabel in winzige Stückchen schnitt, so habe ich mir etwas überlegt . . .

Reden wir nicht vom Geld, sagte Irma, unangenehm berührt, ich habe es doch nicht so gemeint. Es ist nur . . .

Ich verstehe dich doch, Liebes, sagte Nelly und drückte ihre Hand. Dann versuchte sie mit spitzen Lippen ihre Pizza. Tapfer kaute sie ein paar Bissen, beobachtete Irma und Reto, die ihre Pizzaviertel geschickt zusammenrollten und in den Mund schoben. Die Lässigkeit, mit der sie sich die Finger ableckten, verriet jahrelange Übung. Nelly schob seufzend ihren Teller zur Seite. Dann fing sie wieder an:

Meine Schwiegertochter hat mich damals entmündigen lassen. Sie ist mein Vormund. Sie, und nicht etwa mein Sohn. Ich bin sicher, daß von meinem Geld nicht mehr viel übrig ist.

Das darf sie doch gar nicht, sagte Reto mit vollem Mund.

Nelly zuckte nur die Achseln.

Ich würde so gerne noch einmal verreisen, sagte Nelly träumerisch, ans Meer . . . Als ich klein war, reisten wir im Frühling mit der Eisenbahn an die Côte d'Azur. Meine Mutter hatte einen ganzen Eisenbahnwaggon reserviert, und wir nahmen unsere eigenen Kissen mit, um es uns so bequem wie zu Hause zu machen. Unsere eigenen Diener bedienten uns. Es war alles ganz anders . . .

Irma lächelte.

Du wirst reisen, sagte sie, wohin du willst.

Ich habe doch nicht einmal mehr meine Ausweise, gab Nelly zu bedenken.

Das allerdings . . .

Ich will mein Geld zurück und meinen Paß. Dann verreisen wir zusammen, und ich lade dich ein, das ist mein Weihnachtsgeschenk für dich.

Weihnachten ist schon bald, murmelte Irma. Reto faltete die Pizzaschachteln zusammen. Ihn hatte sie nicht eingeladen.

Du läßt dir etwas einfallen, Liebes, befahl Nelly. Sie warf einen Blick auf ihre Armbanduhr.

Es ist gleich acht, sagte sie. Willst du nicht das Radio einschalten?

Warum behandelst du mich . . . Das Lied drehte sich endlos in ihrem Kopf, als sie durch den Torbogen in der Altstadt trat. Eugen wartete schon auf sie. Das wunderte sie nicht.

Hallo, sagte sie zaghaft. Er zog sie an sich und küßte sie im Schatten des Torbogens. Irma stand ganz regungslos und ließ die Arme baumeln. Aus reiner Verlegenheit schloß sie die Augen. Sie konnte sich nicht bewegen, konnte ihm nicht entgegenkommen und sich auch nicht aus seiner Umarmung winden. Seine Hände fuhren unablässig über ihren Rücken und an ihren Armen auf und ab. Als wollte er sie warm reiben. Aufwecken. Schließlich löste er sich von ihr. Er nahm ihre Hand, betrachtete sie aufmerksam, spielte mit ihren Fingern, bog sie einzeln vor und zurück, als hätte er noch nie eine Hand gesehen. Eine rauhe, von der Kälte gerötete Hand. Bist du zufrieden, wie es mit den Brüdern Schwarz gelaufen ist?

Irma nickte.

Es war wirklich ganz einfach. Ich glaube, sie haben nicht einmal gemerkt, was vor sich ging. Zwei selten arrogante Tölpel. Es hat direkt Spaß gemacht.

Irma antwortete nicht. Sie dachte an Ediths Tagebuch.

Dieser gräßliche Eugen, dieser Neger . . .

Mach dir kein Gewissen, sagte Eugen, sie wären sowieso irgendwann an der Reihe gewesen. Wenn du wieder einmal meine Hilfe brauchst . . .

Ja, sagte Irma schnell, ja, eben, ich brauche deine Hilfe.

Eugen drückte ihre Hand.

Es ist aber eine Art Erpressung, gestand Irma.

Kein Problem. Eugen blickte auf die Uhr. Ich versuche, über Mittag nach Hause zu kommen. Dann können wir reden.

Selma Giger flatterte Irma über den Hof entgegen. Sie trug ein grellrotes Cape und ihre rote Arbeitsbrille.

Irma! rief sie, da sind Sie ja endlich! Kommen Sie, ich lade Sie zum Frühstück ein!

Aber ich . . .

Keine Widerrede. Selma packte sie am Ellbogen und zog sie mit sich.

Eugen! rief sie mit ihrer brüchigen Stimme, die nicht zum lauten Gebrauch gedacht war. Vielleicht war Selma nur zum Schreiben gekommen, weil sie sich auf ihre Stimme nicht verlassen konnte. Eugen, rief Selma noch einmal. Wo ist denn der Bengel, er muß doch zur Schule!

Irma sah seinen Schatten in der Gasse verschwinden.

Er ist schon gegangen, sagte sie, er ist mir auf dem Weg begegnet.

Dieses Kind bringt mich ins Grab, seufzte Selma. Wirklich! Meinen Sie, das kommt daher, daß er adoptiert ist? Ich meine, vielleicht haben wir es ihm zu früh gesagt . . .

Er hätte es doch sowieso gemerkt, sagte Irma trocken.

Ja, natürlich. Selma seufzte. Sie sank ein bißchen in sich zusammen. Dann richtete sie sich wieder auf und klammerte sich fest an ihre schmale Aktenmappe.

Wir frühstücken im Hotel Bristol! rief sie. Mit Champagner! Sie lesen die Geschichte durch, und dann sause ich zur Redaktion. Der Artikel erscheint kurz vor Weihnachten. Das ist genau der richtige Zeitpunkt für so etwas.

Selma dirigierte Irma sicher durch die Hotelhalle. Sie schien sich hier auszukennen. Das Hotel lag auf halbem Weg zu den Zeitungsredaktionen. Irma stellte sich vor, daß Selma vor wichtigen Terminen hier saß und sich durch das Angebot aß und so ihre Nervosität verlor.

Flüsternd und aneinandergedrängt standen sie vor dem Büffet und betrachteten die glänzenden Brötchen, die exotischen Früchte, die verschiedenen Käse- und Fleischsorten, die warmen Eierspeisen, die in silbernen Behältern warm gehalten wurden, die Karaffen mit den frischen Säften. Hinter dem Büffet stand eine Reihe blutjunger Lehrkellner mit weißen Handschuhen, ungerührt wie englische Palastwächter. Sie hielten die Teller bereit und griffen mit silbernen Zangen nach den Sachen, auf die Selma nachlässig deutete.

Orangensaft, Champagner und schwarzen Kaffee, bestellte Selma dazu.

Wie Freundinnen gingen sie dicht nebeneinander an ihren Tisch. Unschlüssig verglichen sie ihre Teller und handelten mit leiser Stimme Tauschgeschäfte aus. Darf ich Ihren Lachs probieren, ich gebe Ihnen dafür ein halbes Brioche . . .

Als sie fertiggegessen hatten, brachte ein Kellner zwei Gläser Champagner. Der Kellner war sehr jung. Auf der Stirn hatte er Pickel, mit hautfarbener Creme überdeckt. Selma begann haltlos zu kichern, ihr Busen hüpfte im herzförmigen Ausschnitt ihres roten Kleides. Der Junge wurde rot, seine Stirn leuchtete. Irma blickte angestrengt auf die Tischdecke.

Als er gegangen war, prostete Selma ihr zu, nahm einen großen Schluck Champagner und setzte das Glas mit einem Knall ab. Irma leckte sich die fettigen Lippen.

Schauen Sie sich erst einmal das an, sagte Selma und zog

die Tageszeitung aus ihrer Aktenmappe. Sie reichte Irma den Lokalteil aufgeschlagen über den Tisch. Irma beugte sich vor. Da war ein Bericht über die gestrige Versammlung mit einem Photo von Frau Doktor Schwarz am Rednerpult. Auszugsweise war ihre Rede abgedruckt. Irma preßte die Lippen aufeinander und gab die Zeitung zurück, ohne den Bericht zu lesen. Sie kannte den Inhalt.

Wie finden Sie das? Selma spitzte die Lippen.

An meiner Party werden unangemeldete Gäste immer willkommen sein, las sie vor und betonte dabei das Wort willkommen.

Irma senkte den Kopf. Klug hatte sie das gemacht, mit Reto als vorgeschobenem Großneffen. Niemand würde dahinterkommen! Wunderbar! Und jetzt?

Regen Sie sich nicht auf, sagte Selma beruhigend und tätschelte ihren Arm. Ich hätte es so oder so herausgefunden. Ich muß mich doch absichern. Ich bin schließlich Journalistin.

Sie reichte ihr den Computerausdruck ihres Artikels.

Ich nenne sie Roth, wie finden Sie das, sagte sie schelmisch.

Irma lächelte. Sie nahm die Endlospapierstreifen in die Hand, setzte sich schräg zum Tisch, das Papier floß über ihre Knie.

Ich habe einen Teil meiner Notizen wiedergefunden und verwendet, sagte Selma stolz. So wurde es fast doppelt so lang.

Selma beschrieb im ersten Teil den traurigen Alltag der vergessenen Alten in einem Heim, die keinen Besuch mehr bekamen und vom Personal wie Idioten behandelt wurden, und schwenkte dann zu Nellys Schicksal. Sie hatte die Aussagen vom Band auseinandergeschnitten und mit Fragen durchsetzt, so daß jeder glauben mußte, sie habe persönlich mit ihr gesprochen. Sie nannte sie Hedwig Roth* (*Name geändert). Zusammen mit dem Hinweis auf die familiären Verhältnisse, auf die Karriere der Schwiegertochter, dürfte es nicht allzu schwierig sein, Frau Doktor Schwarz zu identifizieren.

Die Geschichte mit dem Großneffen habe ich als Ablenkungsmanöver beibehalten, sagte Selma. Ich gehe aber davon aus, daß die alte Dame von der Putzfrau gefunden wurde ... Irma errötete. Ungeschickt faltete sie den Papierstreifen wieder zusammen. Selma winkte nach zwei weiteren Gläsern Champagner.

Die anderen Zeitungen werden sich natürlich darauf stürzen, fuhr sie munter fort. Sie werden mit allen Mitteln versuchen, die alte Dame zu finden.

Wir wollten sowieso verreisen, murmelte Irma.

Selma nickte zustimmend. Sie nahm sich eine Zigarette aus Irmas Schachtel und klopfte mit der Hand auf die aufgeschlagene Zeitungsseite. Offenes Haus für Gäste, am Arsch, sagte sie trocken. Diese Selbstgefälligkeit, das hat mich immer geärgert.

Mit näselnder Stimme imitierte sie Frau Doktor Schwarz: Ich habe selber vier Kinder großgezogen, obwohl ich immer gearbeitet habe, und sie sind alle gut in der Schule und nehmen keine Drogen und essen mit Messer und Gabel!

Selma zündete die Zigarette an und blies den Rauch durch die Nasenlöcher.

Ich selber habe nur ein Kind und nicht einmal ein eigenes, und schon das ist mir zuviel, ich finde es in erster Linie anstrengend, Kinder zu haben, furchtbar anstrengend.

Schauen Sie den Jungen doch an! Er ist erst dreizehn! Ich weiß nicht, wann er das letzte Mal in der Schule war, er verkauft alte Aktphotos aus dem Archiv von seinem Vater, er stiehlt, er trinkt unseren Weinkeller leer, er raucht Hasch, er schluckt sich durch meinen ganzen Arzneimittelschrank, sogar meine Diätpillen schluckt er, die machen ihn so kribbelig, daß er sich nachher an mein Valium macht! Und das alles ist wohl meine Schuld!

Irma runzelte abwehrend die Stirn.

Wessen denn sonst, fuhr Selma sie an. Dann hielt sie atemlos inne, legte den Kopf in den Nacken und leerte sich das ganze Glas Champagner in den offenen Mund.

Dann preßte sie ihre mollige Hand auf die Lippen und rülpste leise.

Wissen Sie was, sagte Irma, die beiden Söhne der Frau Doktor Schwarz sind von der Schule geflogen! Sie senkte die Stimme: Drogenhandel, angeblich.

So was, sagte Selma gedehnt, so was!

Dann stand sie auf, um ihren Artikel zur Redaktion zu bringen. Im Hinausgehen schob sie ihren Arm unter den von Irma.

Wissen Sie, was das neuste ist? Der Bengel ist verliebt. Können Sie sich das vorstellen? Er ist gerade dreizehn geworden. Ja, und nicht nur das, heiraten will er. HEIRATEN!! Er hat mich ganz ernsthaft gefragt, was für eine Art Erlaubnis er dafür haben müßte. Ich habe ihm natürlich sofort ein Aspirin gegeben.

Natürlich, murmelte Irma und hoffte nur, daß ihre Ohren nicht allzu rot durch den morgendlichen Nebel leuchteten.

Doch schon wenige Stunden später saß sie auf einem fuchsiafarbenen Sofa, aß Crackers mit Mayonnaise und schmuste mit dem dreizehnjährigen Eugen, der sie heiraten wollte, und kein Aspirin könnte ihn davon abbringen.

Spinnst du eigentlich, deiner Mutter so etwas zu erzählen?

Zerknirscht senkte er den Kopf.

Du hast recht. Ich hätte es dir zuerst sagen müssen.

Was sagen!

Daß ich dich heiraten werde.

Werde???

Leider geht es nicht, sagte Eugen und fischte einen neuen Cracker aus der Tüte. Noch nicht. Ich muß mindestens achtzehn sein. Und es müßte ein besonderer Grund vorliegen, eine Dringlichkeit, am besten eine Schwangerschaft. Mein Vater müßte unterschreiben, aber das würde er schon tun, ich glaube, er mag dich.

Irma wurde schwindlig. Sie lehnte sich zurück. Dann war Eugen über ihr. Sie küßten sich hastig und verlegen. Irma erinnerte sich plötzlich sehr genau an ihre ersten Küsse. Es hatte sich überhaupt nichts verändert. Glühend, schwer und feucht lag seine Hand auf ihrer Brust und wagte sich nicht zu rühren. Beinahe andächtig lag sie da.

Du mußt auf mich warten, du mußt mich heiraten, weil niemand dich so liebt wie ich, sagte er einfach und wechselte dann das Thema, als sei es hiermit abgeschlossen. Das war es wohl auch für ihn.

Ich will dir etwas zeigen, sagte er. Komm mit!

Er stand auf, nahm ihre Hand und zog sie vom Sofa hoch. Er ging mit ihr in sein Zimmer. Sorgfältig schloß er die Türe hinter ihnen und schlug dann den Vorhang vor seinem Indianerzelt zurück.

Irma lächelte verlegen. Es war lange her, seit sie Cowboy und Indianer gespielt hatte. Er verlangte doch nicht etwa von ihr, daß sie mit der Hand vor den Mund schlug und ein Kriegsgeheul anstimmte. Eugen war in das Zelt geschlüpft und streckte jetzt den Kopf heraus.

Komm schon, sagte er.

Irma zuckte mit den Schultern. Sie kroch in das Zelt.

Eugen hatte eine Kerze angezündet. Das flackernde Licht fiel auf sein Gesicht. Er rollte eine Ecke des Fells hoch, das den Boden bedeckte, und zog einen großen Umschlag hervor.

Hier, sagte er einfach.

Irma öffnete den Umschlag.

Er enthielt vier Photos von ihr. Mit Staubsauger. Schwarzweiß. Hans Giger, sie erinnerte sich.

Ich habe die Negative vernichtet, sagte Eugen. Du kannst sie behalten.

Irma zögerte. Eugen grinste. Und faßte noch einmal unter das Fell. Er zog einen Abzug hervor, auf dem nur ihr Gesicht zu sehen war. Sie drehte sich gerade wütend zum Photographen um, ihre Züge waren leicht verwischt.

Das hier behalte ich!

Dann wechselte er das Thema. Also, diese Erpressung?

Irma seufzte und erklärte es ihm.

Eugen pfiff durch die Zähne. Dachte ich mir doch. Das hängt alles zusammen. Der Artikel, den meine Mutter geschrieben hat . . .

Irma nickte verlegen.

Eigentlich sollte niemand davon wissen, seufzte sie.

Ich bin nicht irgend jemand. Stolz hob Eugen den Kopf.

Und ich stelle eine Bedingung.

Irma runzelte die Stirn.

Ich komme mit, wenn ihr verreist, sagte er.

Auf dem Heimweg kam Irma an einem Reisebüro vorbei. Sie blieb stehen, betrachtete die Auslagen, Pyramiden aus Karton und eine ausgeschnittene Welle mit einem hochfliegenden Surfer. Unschlüssig trat sie von einem Bein auf das andere, dann stieß sie die Türe auf. Eine Glocke bimmelte. Es war ein kleines Reisebüro, drei Pulte, an denen braungebrannte junge Leute arbeiteten. Irma versuchte erst, sich bei den Regalen mit den Prospekten zu verstekken, sie nahm jeden Prospekt in die Hand und blätterte angelegentlich darin. Es war still im Büro, nur die Faxe piepsten, und ab und zu klingelte das Telefon, das aber nicht abgenommen wurde. Schließlich setzte sich Irma vor das mittlere Pult und wartete. Nach einer Weile setzte sich ein junger Mann mit halblangen braunen Locken zu ihr.

Ja? Kann ich dir helfen?

Er sprach gedehnt, ein bißchen durch die Nase. Seine Handgelenke waren mit bunten, geknüpften Bändern geschmückt. Um den Hals trug er eine Kette aus Zähnen.

Wolfszähnen.

Ich möchte . . . Irma stotterte leicht. Ich möchte über Weihnachten ans Meer fahren . . . Irgendwohin, wo es warm ist . . . eine Insel . . .

Der junge Mann sah sie an.

Irma wurde noch nervöser.

Ich wollte mich nur informieren, murmelte sie.

Da bist du hier völlig falsch. Wir sind kein konventionelles Reisebüro, korrigierte sie der junge Mann stolz, wir machen hier Individualtourismus, kleine Gruppen, unberührte Gegenden, Kontakt mit der einheimischen Bevölkerung: Kulturreisen! Für die Putzfraueninsel sind wir nicht zuständig!

Die Putzfraueninsel! Irma stopfte die Prospekte in ihre Tasche, stand auf und ging mit gesenktem Kopf zur Tür. Dort drehte sie sich noch einmal um und fragte: Welches ist denn die Putzfraueninsel? Aber er hörte ihr schon nicht mehr zu.

Am Abend saß sie mit Nelly auf dem Sofa, trank Sherry und betrachtete die Kataloge. Es war genau so, wie es der junge Mann gesagt hatte.

Das ist nicht das, was ich mir vorgestellt habe, murmelte Nelly. Solche Reisen habe ich genug gemacht. Mit dem Verein der Akademikerfrauen, fügte sie stolz hinzu, obwohl ich natürlich keine war, ich meine, keine Akademikerfrau. Das war immer sehr nett. Wir waren fast alle verwitwet. Wir haben Abenteuer erlebt. Einmal haben wir einen jungen Mann zusammengeschlagen, der uns angepöbelt hatte. Kannst du dir das vorstellen? Zehn alte Frauen gegen einen jungen Mann. Margrit hat ihm sogar ihren Stock über den Kopf gezogen. Dann rannten wir schnell davon. In dieser Nacht schliefen wir alle im selben Hotelzimmer, weil wir plötzlich Angst hatten . . .

Irma hob die Augenbrauen.

Nein! Nelly schob die Kataloge zur Seite. Ich stelle mir einen weißen Strand vor, mit einem schattigen Rand aus Palmen, und ein altes Hotel mit einem richtigen Speisesaal, wo man sich noch zum Essen umzieht. Am liebsten auf einer Insel, eine Insel ist überschaubar.

Irma nickte.

Die Putzfraueninsel, murmelte sie.

Nelly schüttelte den Kopf.

Davon habe ich noch nie gehört, tadelte sie. Was für ein häßlicher Ausdruck. Ich meine, du entschuldigst mich, aber . . .

Natürlich, sagte Irma.

Aber sie konnte nicht verhindern, daß sie in dieser Nacht von einer winzig kleinen Insel träumte, mit einer einzigen Palme darauf, wie in einer Witzzeichnung. Nelly lag mit einem großen Sonnenhut am Strand, während Irma schwitzend einen Staubsauger vor sich herschob und die Insel putzte.

Zehn

Am nächsten Tag nahm Irma Abschied von Hans O. Meier.

Es war kurz nach zehn, als sie die Wohnung mit ihrem eigenen Schlüssel öffnete. Sie blieb einen Augenblick im Flur stehen, legte den Kopf schief und lauschte. Die Wohnung war still. Ein leichter Geruch von zitronenfrischer Sauberkeit lag in der Luft. Andrea mußte kurz vor ihr dagewesen sein und gründlich geputzt haben. Das war deutlich genug. Sie ging in die Küche. Auch hier perfekte Ordnung und strahlende Sauberkeit. Nicht einmal ein Zettel lag auf dem Tisch. Im Kühlschrank fand sie eine angebrochene Flasche Champagner, in der ein Silberlöffel steckte. Irma hätte immer schon gerne gewußt, ob das wirklich funktionierte, aber es war ihr nie gelungen, einen anständigen Rest in einer Champagnerflasche übrigzulassen, um es nachzuprüfen. Sie nahm die Flasche aus dem Kühlschrank und schenkte sich ein Glas ein, ohne den Löffel aus dem Flaschenhals zu nehmen. Der Champagner schäumte nur noch mäßig.

Irma blieb vor dem Kühlschrank stehen, das Glas in der Hand. Sie beobachtete die Fische im Aquarium. Träge schwammen sie hin und her, mit einem einzigen Flossenschlag von einem Ende des Glaskastens bis zum anderen. Was für ein Leben. Irma seufzte tief. Sie merkte, wie ihre Augen feucht wurden. So frühmorgens sollte sie besser nichts trinken.

Sie schenkte sich das Glas wieder voll und ging langsam durch die Wohnung. Oft würde sie nicht mehr hierherkommen, vielleicht gar nicht mehr. Der Champagner stieg ihr in den Kopf. Es war noch früh, und sie hatte nichts gegessen. Sie würde sich in das japanische Flachbett legen und Hans O.s Ferienphotos anschauen. Lange Zeit hatte sie immer nur auf eines geachtet: ob eine Frau auf den Bildern zu sehen war. Sie würde sich alles noch einmal ganz genau anschauen. Dann würde sie sich ein heißes Bad einlaufen lassen und sich damit abfinden. Ein für allemal. Irma stieß gegen die Schlafzimmertür und stolperte hinein. Sie hielt das überschwappende Glas mit beiden Händen fest und starrte einen Moment wie blöde auf das ungemachte Bett. Da lagen sie, Hans O. und Andrea, schlafend ineinander verkeilt. Ein Bein von Hans O. lag über der Decke, ein langes, wohlgeformtes, leicht gebräuntes Bein mit langen Muskeln und unaufdringlicher Behaarung. Andreas blondgefärbter Schopf preßte sich an Hans O.s Rücken, sein Arm lag locker, aber bestimmt quer über ihm wie eine Klammer. Es sah alles absolut richtig aus. Genau so, wie es sein mußte. Neben dem Bett lag eine leere Flasche Champagner. Umgekippt. Im Morgenlicht sah Irma die Ansätze von Andreas blondgefärbtem Haar. Ihre Mundwinkel bogen sich nach unten. Eine Träne lief über ihre Wangen. Nur nicht laut und betrunken losheulen. So war das also. So mußte das sein. Sie konnte sich immer noch nicht entschließen, das Zimmer zu verlassen. Ihre langen Füße waren am Boden festgenagelt.

Andrea öffnete ein Auge, sah sie, das Auge wurde größer und wieder kleiner. Dann rollte er sich behende zur Seite und stand auf, ohne die Bettdecke zu bewegen. Er griff nach einem Morgenmantel, der neben dem Bett lag, und schlüpfte hinein. Lautlos ging er um das Bett herum, legte einen Arm um Irmas Schulter und führte sie sanft, aber bestimmt hinaus. Leise schloß er die Tür hinter ihnen.

Lassen wir ihn schlafen, sagte er leise. Er hat es nötig.

Er brachte Irma in die Küche, drückte sie sanft auf einen Stuhl und begann das Frühstück zu rüsten.

Möhren, Randen, Sellerie oder lieber Orangen? fragte er.

Wie bitte?

Irma zog die Nase hoch, schniefte ein letztes Mal und wischte sich mit dem Handrücken über das Gesicht. In ihrem Kopf begann der Champagner zu hämmern, und sie merkte, wie ihr schwindlig wurde.

Andrea tauchte ein sauberes Küchentuch in kaltes Wasser und wischte ihr fürsorglich das Gesicht ab.

Was für einen Saft möchtest du, wiederholte er, Möhren, Randen, Sellerie . . .

Orangen, sagte Irma.

Mit geschickten, sparsamen Gesten setzte Andrea Saftmaschine, Getreidemühle und Kaffeemaschine in Gang, deckte den Tisch, schob tiefgefrorene Brioches in den Ofen und nahm eine Schüssel selbstgemachten Yoghurt aus dem Kühlschrank. Schnell schnippelte er ein paar exotische Früchte in winzige, regelmäßige Scheibchen und fügte sie zum Yoghurt. Irma seufzte. Sie verstand jetzt, daß Hans O. mit niemand anderem leben wollte. Es mußte wunderschön sein, so umsorgt zu werden. Schon begannen ihre Augen wieder zu brennen.

Na, na, sagte Andrea, jetzt reicht es aber langsam!

Er stellte ein Glas Saft vor sie hin, dazu gab er ihr noch ein paar große, dunkle Kapseln. Vitamine, erklärte er kurz.

Es ist nur der Champagner, flüsterte Irma und zog wieder die Nase hoch.

Ich bin sicher, du hast noch nicht einmal gegessen, sagte Andrea mit gerunzelter Stirn.

Irma schüttelte beschämt den Kopf.

Auf die Art wirst du schneller alt, als es nötig ist.

Das konnte Irma noch nicht zum Lachen bringen. Aber sie lächelte.

Ich bin erst achtundzwanzig, sagte sie.

Erst???

Andrea hob die Augenbrauen bis unter die stoppligen, weißblonden Igelfransen. Irma senkte verlegen den Kopf. Brav trank sie ihren Saft und schluckte die Vitaminkapseln. Andrea nahm die Brioches aus dem Ofen, verteilte Müsli in zarte Porzellanschalen und zündete eine Kerze an.

Ich verstehe einfach nicht, seufzte er, warum die Frauen immer so auf Hans fliegen. Ich meine, merkt ihr denn nicht, daß er . . . Hilflos und vielsagend zugleich breitete er die Hände aus, . . . daß er nicht interessiert ist?

Viele Männer sind nicht interessiert, sagte Irma trocken. Das allein hat noch nichts zu sagen. Das kann alle möglichen Gründe haben.

Tz!

Andrea schüttelte den Kopf.

Dann wechselte er das Thema.

Apropos merken, sagte er, was ist mit dem Mann, von dem du mir erzählt hast, du weißt schon, diesem Familienvater?

Der Familienvater, genau. Irma leckte sich den Yoghurtrand von den Lippen. Je mehr sie aß, desto besser fühlte sie sich.

Ich glaube, ich werde nächste Woche mit ihm vorbeikommen. An welchen Tagen arbeitest du dort? Andrea zuckte mit den Schultern. Immer . . . Außer Montag und

Dienstag, da haben wir geschlossen. Sonst bin ich immer da. Ab fünf Uhr. Irma nickte.

Es gibt nicht zufällig einen Hinterausgang in der Nähe der Toiletten oder so?

Andrea grinste.

Natürlich gibt es den. Was glaubst du denn! Hinten, bei der Treppe in den ersten Stock ist ein zweiter Ausgang, der auf eine Parallelstraße führt.

Wunderbar. Der erste Stock . . . Irma zögerte . . . ist das ein . . . ich meine, du weißt, was ich meine . . .

Andrea lächelte unverbindlich.

Nimm noch ein bißchen Yoghurt, ich habe Gelée royale hineingetan. Das wirkt wahre Wunder.

Brav aß Irma noch einen Löffel.

Kaffee oder Tee, fragte Andrea.

Kaffee, bitte, sagte Irma.

Andrea nickte. Ich auch, sagte er zutraulich. Ich kann es mir einfach nicht abgewöhnen. Das und die Zigaretten . . .

Hinterhältig fischte Irma eine Schachtel Zigaretten aus der Tasche und bot ihm eine an. Er akzeptierte mit einem schiefen Lächeln.

Irma beugte sich vor, um ihm Feuer zu geben.

Ich glaube, ich habe mich verliebt, sagte sie leise.

Nein! Andrea strahlte. Das ist ja wunderbar!

Und auch er beugte sich tiefer über den Tisch. Erzähl!

Das ist das Problem, sagte Irma: Er ist erst . . . er ist noch sehr jung. Wirklich sehr jung. Ein halbes Kind.

Andrea schürzte abwägend die Lippen. Täusch dich nur nicht, sagte er. Ich war knapp vierzehn, als ich Hans O. kennenlernte.

Vierzehn! Irma hielt den Atem an. Das heißt, ihr seid seit mindestens . . .

Acht Jahren zusammen. Stimmt genau.

Das verschlug Irma die Sprache.

Vierzehn, nun gut. Eugen ist dreizehn. Dreizehneinhalb, korrigierte sie sich schnell, als sie Andreas ungläubiges Gesicht sah.

Es war jedoch nicht das Alter, das ihn schockierte.

Eugen! wiederholte er. Heißt er wirklich Eugen? Ich hoffe nur, er sieht nicht danach aus!

Ich mag den Namen, sagte Irma trotzig.

Andrea zündete sich noch eine Zigarette an.

Also sag schon, wie sieht er aus, hast du ein Bild von ihm?

Irma lächelte.

Nein, aber . . . Er ist groß, für sein Alter, schätze ich, dunkel, ein bißchen . . . wild, er . . . sie brach ab und seufzte.

Dann erzählte sie ihm alles: Was er gesagt hatte. Wie er sie geküßt hatte. Das Lied im Radio. Wie sie auf dem Sofa saßen und Crackers aßen. Wie ihr Magen hart wurde, wenn sie an ihn dachte. Wie sie zu schwitzen begann, wenn sie ihn sah. Wie ihr das alles seit Jahren nicht mehr passiert war. Und wie er sie heiraten wollte, auch wenn er noch Jahre und Jahre warten mußte.

Heiraten! Andreas Stimme bekam einen sehnsüchtigen Klang. Heiraten!

Er lächelte ein bißchen wehmütig.

Dein Junge scheint mir richtig, sagte er. Das ist das Alter, in dem ein Mann sich noch richtig verlieben kann.

Nachher nicht mehr? Irma hielt den Atem an.

Andrea zuckte mit den Schultern.

In diesem Moment ging die Türe auf. Sie fuhren hoch, wie ertappt, Andrea hielt schuldbewußt seine Zigarette unter den Tisch.

Hans O. Meier stand in der Tür, verschlafen und zerzaust, vorwurfsvoll hustend und mit der Hand den Rauch wegwedelnd.

Was ist denn hier los, fragte er ungehalten. Dann ging er an ihnen vorbei und öffnete das Fenster. Er trug einen schwarzglänzenden Morgenrock, der so lang war, daß er wie eine Schleppe hinter ihm her über den Boden wischte.

Irma fühlte unter dem Tisch ein drängendes Stupsen an ihrem Knie, ihre Hand tauchte hinunter und nahm die Zigarette an sich, um sie sofort im Aschenbecher auszudrücken.

Es tut mir leid, sagte sie schüchtern, es ist alles meine Schuld.

Andrea unterbrach sie.

Ich habe alles mit ihr besprochen, du weißt schon.

Hans O. Meier setzte sich an den Tisch. Er sah, daß für ihn noch nicht einmal gedeckt war. Andrea sprang sofort auf, nahm Teller und Tasse und Schüsselchen aus dem Schrank und drückte eine geschälte Möhre in die automatische Saftpresse.

Hans O. Meier räusperte sich ein paarmal und strich sich mit der Hand über die Haare, bis sie glatt am Kopf lagen.

Andrea schenkte ihm den Saft ein, legte zwei Vitaminkapseln auf den Tellerrand und setzte sich dann dicht neben ihn. Er stützte das Gesicht in die gefalteten Hände und sah Hans beim Essen zu. Hans O. Meier wachte langsam auf. Sein Gesicht entspannte sich. Er schien dem Tag jetzt gelassener entgegenzublicken.

Nur über die Abfindung haben wir noch nicht gesprochen, Lieber, sagte Andrea.

Abfindung? murrte Hans O.

Aber ja, du kannst Irma doch nicht einfach so entlassen, natürlich hat sie Anspruch auf eine Abfindung.

Irma schluckte. Sie zog mit der Gabel ein Muster durch die verschiedenfarbenen Marmeladenreste auf ihrem Teller.

Natürlich, brummte Hans O., selbstverständlich. Und er nannte eine Zahl.

Als Irma nicht gleich antwortete, erhöhte er die Summe. Wäre Ihnen das recht, fragte er.

Natürlich, sagte Irma hastig und stand auf. Vielen Dank. Sie riß ihren Ledermantel von der Stuhllehne und hob ihre Tasche auf.

Vielen Dank auch für das Frühstück.

Es war erst kurz nach zwölf. Irma stand unschlüssig auf der Straße. Sie wollte noch einkaufen gehen und ein paar Reiseprospekte besorgen. Doch plötzlich kam ihr der Gedanke, sie könnte mit Eugen Mittag essen gehen. Vielleicht, weil sie den halben Vormittag damit verbracht hatte, von ihm zu sprechen, hatte sie plötzlich das starke Bedürfnis, ihn zu sehen. Zu sehen, daß es ihn wirklich gab. Sofort!

Sie fuhr mit der Straßenbahn in die Nähe seiner Schule. Unten an der Straße gab es eine Buchhandlung. Sie blieb stehen und blickte ins Schaufenster. Sie wurde immer unruhiger und nervöser, sie wagte nicht, sich umzudrehen, und fürchtete doch immer, er könnte hinter ihrem Rücken vorbeigehen. Also holte sie tief Luft, preßte ihre Tasche fest vor die Brust und ging mit entschlossenen Schritten direkt auf das Schulhaus zu. Es war ein großes, graues, kastenförmiges Gebäude mit schmalen, schießschartenartigen Fenstern. Auf dem Pausenplatz standen halbrunde Bänke, fest in den Boden betoniert . . .

Irma setzte sich auf die Bank, die am weitesten von der Türe entfernt stand, und wartete.

Wenig später setzte das ohrenbetäubende Schrillen der Schulglocke ein, und beinahe im selben Moment öffneten sich die beiden Flügel der Türe und kreischende, johlende Schüler stürmten hinaus. Sie warfen ihre Mappen in die Luft, rempelten sich gegenseitig an und hüpften herum, als hätten sie alle vollends den Verstand verloren.

Kinder, dachte Irma mutlos, alles Kinder.

Keiner der jungen Leute warf mehr als einen gleichgültigen Blick auf sie. Plötzlich dachte Irma an die schmuddligen alten Männer, die sich auf Kinderspielplätzen und Schulhöfen herumtrieben, jene, vor denen die Kinder überall und jederzeit eindrücklich gewarnt werden.

Sie stand auf und ging ganz dicht am Rand des Weges, so daß sich die dornigen Äste der staubigen Büsche in ihren Haaren verfingen. Der Strom der Schüler wälzte sich an ihr vorbei.

Irma!

Sie drehte sich um.

Hinter ihr stand Eugen in einer Gruppe junger Leute, er hielt einen Apfel in der Hand und ein paar Schulbücher. Irma blieb stehen.

Eugen grinste über das ganze Gesicht, löste sich von der Gruppe und trat auf sie zu.

Irma, wiederholte er ungläubig. Er legte einen Arm um sie, zog sie an sich und küßte sie auf den Mund.

Tschüs, riefen die anderen Schüler und drängten sich an ihnen vorbei. Sie warfen neugierige Blicke auf sie, einer machte wohl auch eine Bemerkung, so daß die anderen laut lachten, aber das war schon alles. Der Boden öffnete sich nicht, um sie zu verschlucken. Niemand rief nach der Polizei. Die Welt drehte sich weiter.

Irma brach in nervöses Kichern aus. Eugen drückte sie an sich.

Du bist doch meinetwegen hier, oder, fragte er ängstlich.

Irma ließ ihre Stirn gegen seinen Kopf sinken.

Arm in Arm gingen sie zur Straßenbahnhaltestelle hinunter. Ab und zu sahen sie sich von der Seite an und blickten dann schnell wieder geradeaus. Irma kam es vor, als sei Eugen in den letzten Tagen gewachsen. Seine Hand ruhte selbstsicher auf ihrer Hüfte. Nein, er war kein Kind mehr.

Guten Tag, Frau Zweifel, sagte eine schnippische Stimme im Vorbeigehen. Es war Edith Schwarz.

Verlegen lösten sie sich voneinander.

Sie fuhren alle mit derselben Straßenbahn. Es war unmöglich, die scharfen Blicke des Mädchens nicht zu spüren.

Wo möchtest du hingehen, fragte Eugen schließlich.

Irma hob den Kopf.

Mittag essen, murmelte sie.

Sie aßen Cheeseburger und Pommes frites in einer Imbißbude, dazu tranken sie Vanille-Milk-Shakes aus riesigen Pappbechern. Sie aßen draußen, auf den Stufen sitzend. Trotz der fahlen Sonne war es bitterkalt. Eugen grüßte ungeniert nach links und rechts, alle Schüler aus seiner Klasse schienen sich hier zu verpflegen. Außer Edith, die, wie Irma wußte, um halb eins zu Hause am Familientisch sitzen mußte.

Beinahe tat sie ihr leid.

Der Artikel von meiner Mutter erscheint diesen Samstag, sagte Eugen mit vollem Mund.

Ich gebe ihnen über das Wochenende Zeit, um richtig Angst zu bekommen. Dann melde ich mich am Montag bei ihnen. So, wie wir es besprochen haben. Du mußt mir nur noch sagen, wann die Übergabe stattfinden soll.

Freitag, sagte Irma. Freitag um halb sechs in der Aquarium-Bar.

Eugen hob die Augenbrauen und notierte sich das mit einem Kugelschreiber auf der Handinnenfläche.

Was hast du jetzt vor, fragte er.

Mußt du denn nicht in die Schule zurück, fragte Irma.

Nein, nein, heute nachmittag habe ich frei, sagte Eugen. Sie wußte, daß er log.

Sie zogen von Reisebüro zu Reisebüro, von Buchhandlung zu Buchhandlung und deckten sich mit Prospekten und Katalogen und Reiseführern ein. Nur noch Inseln interessierten Irma. Aber auch davon gab es einige.

Welches ist eigentlich die Putzfraueninsel? fragte Irma die Buchhändler und Reisebüroangestellten.

Nun, so nennt man, glaube ich, Mallorca, sagte einer. Interessieren Sie sich für Mallorca? Unser Unternehmen bietet Arrangements für gehobene Ansprüche, gerade auf dieser Insel . . .

Danke, sagte Irma.

Gran Canaria, glaube ich, sagte eine Buchhändlerin. Sind Sie an kritischer Literatur interessiert? Da haben wir ein sehr interessantes Buch über die Auswirkungen des Massentourismus, ich glaube, hier habe ich den Ausdruck auch gelesen, Putzfraueninsel . . .

Danke, sagte Irma.

Sag mal, fragte Eugen ernstlich besorgt, du hast doch nicht wirklich vor, auf eine dieser Inseln zu fahren? Denkst du nicht an etwas . . . Besseres? Also ich bin viel eher für die Seychellen . . . Malediven . . . Philippinen . . . Und als er ihren Gesichtsausdruck sah, fügte er hinzu: Du hast doch nicht etwa vergessen, daß du mich mitnimmst?

Ich muß jetzt gehen, sagte Irma, es ist gleich fünf.

Erwartet dich jemand, fragte Eugen.

Ja.

Er zog ein Gesicht.

Kann ich nicht mitkommen?

Irma zögerte.

Ja, dachte sie. Nein, sagte sie leise.

Warum eigentlich nicht, dachte sie auf dem Heimweg, als sie ihn schon wieder vermißte. Sie vermißte ihn so, daß sie beide Hände auf den Magen pressen mußte und fürchtete, ohnmächtig zu werden. Warum kann er nicht mit zu mir kommen? Sie wollte Nelly nicht schockieren. Nelly würde es nicht dulden. Und Nelly war ihr Gast. So sah sie es. Sie haßte es, sie den ganzen Tag allein zu lassen. Sie hatte das Gefühl, sie zu vernachlässigen. Zum Beispiel hatte sie immer noch kein richtiges Bett besorgt. Sie wollte am Abend wenigstens für sie dasein. Ganz.

Das schlechte Gewissen ließ sie beim Einkaufen jedes Maß verlieren. Sie ging zu einem Feinkosthändler in der Innenstadt und kaufte frischen Lachs, große Scampi und Jakobsmuscheln. Frische Waldpilze, zarte Spinatblätter. Beim Weißwein ging sie nach dem Preis: Sie kaufte den teuersten. Der würde wohl auch der beste sein, hoffte sie. Dann ging sie zum Bäcker, kaufte frischen Blätterteig und eine riesige Saint-Honoré-Torte, die gut und gern für zwölf Personen reichen würde. Beim Gedanken an das Abendessen gelang es ihr, Eugen mehr oder weniger zu vergessen. Beladen mit sechs Tragtaschen voller Reisebücher und Leckereien und der riesigen Tortenschachtel, nahm sie sich ein Taxi nach Hause.

Ihre gute Laune verflog sofort, als sie das Motorrad vor dem Haus stehen sah.

Reto! Reto! Reto!

Wütend stapfte sie die Treppe hinauf in den ersten Stock. Wozu gebe ich mir eigentlich all die Mühe, murmelte sie. Wenn sie wütend war, begann sie, halblaut mit sich selber zu sprechen. Lächerlich! Nellys Gefühle schonen! Dabei treibt sie sich selber mit einem Mann herum, der gut und gern ihr Enkel sein könnte. Und das kann man von Eugen und mir ja beim besten Willen nicht behaupten!

Sie stieß die Wohnungstüre mit einem Fußtritt auf.

Nelly saß auf dem Sofa und kritzelte eifrig in ihr winziges Büchlein. Auf der Nase trug sie eine zierliche halbe Lesebrille. Sie blickte auf, als Irma in die Wohnung stampfte und die Türe hinter sich zuknallte.

Liebes, rief sie, was hast du nur alles eingekauft! Laß mich dir etwas abnehmen.

Irma warf die Einkaufstüten auf den Küchentisch.

Mißtrauisch blickte sie sich um.

Na los, wo ist er, fragte sie.

Ich weiß nicht, wen du meinst, antwortete Nelly.

Du weißt nicht, wen ich meine? Na wen schon? Wer hängt denn jeden Abend hier herum, eingeladen oder nicht? Reto natürlich! Reto!

Reto war nicht hier, sagte Nelly kühl.

Ach, erzähl mir doch nichts, rief Irma zornig, ich habe doch das Motorrad gesehen! Für ihn habe ich jedenfalls nicht eingekauft!

Sie konnte sich selber hören. Sie klang wie eine vernachlässigte, säuerliche Ehefrau.

Ich habe heute mit Reto zu Mittag gegessen, sagte Nelly, aber hier war er nicht. Das Motorrad muß wohl jemand anderem gehören.

Mittagessen! rief Irma. Weißt du nicht, daß du nicht aus dem Haus sollst? Was ist, wenn dich jemand erkennt?

Aber Irma, sagte Nelly, nun beruhige dich doch. Ich kann doch nicht immer hier eingesperrt sein!

Eingesperrt! So siehst du das also!

Irma atmete aus.

Es tut mir leid, flüsterte sie. Ich mache mir immer solche Sorgen um dich.

Nelly lächelte freundlich.

Aber Liebes, du mußt dich nicht entschuldigen.

Schweigend machte sich Irma daran, die Vorräte auszupacken. Als sie Nelly einen Aperitif anbot, klang ihre Stimme brüchig vor Verlegenheit.

Ich nehme gern einen Sherry, sagte Nelly und trat neben sie. Sie betrachtete neugierig die Lebensmittel.

Mhm, was hast du vor?

Lauwarmer Meeresfrüchtesalat, Lachs im Teig und dann die Torte.

Nelly lächelte. Und das sollen wir zwei ganz alleine essen? fragte sie sanft.

Irma warf ihr einen scharfen Blick zu. Nelly nahm zwei kleine Gläser aus dem Schrank.

Sie blickte absolut unschuldig.

Wir könnten Reto zum Essen einladen, sagte Irma leise.

Ja, das könnten wir, das ist eine gute Idee.

Nelly schenkte die Gläser voll Sherry und stieß mit Irma an.

Ich gehe rasch zur Telefonkabine und rufe ihn an, sagte Irma.

Das Essen reicht für mindestens vier Personen, sagte Nelly, willst du nicht noch jemanden einladen?

Irma schüttelte den Kopf.

Was ist mit dem jungen Mann, der immer dieses Lied im Radio spielen läßt? Nelly ließ nicht locker. Irma fischte ein paar Münzen aus ihrer Hosentasche und ging zur Tür.

Nein, sagte sie bestimmt.

Sie würde niemanden einladen. Sie würde den Abend allein mit Nelly und Reto verbringen.

Doch Reto war nicht zu Hause. Sie aßen die ganzen Leckereien allein. Irma kochte schon völlig selbständig. Nur hin und wieder warf sie einen Blick in die Zeitschrift, in der sie das Rezept gefunden hatte. Unkonventionelles Festessen, hieß die Überschrift. Der Eßtisch auf den Photos war mit Tannenzweigen dekoriert. Natürlich, bald war Weihnachten. Nelly sortierte unterdessen die Reiseprospekte. Das Essen war himmlisch. Nur viel zuviel. Tatsächlich, das sah Irma erst jetzt, stand da: Rezept für 6 Personen.

Ich kann nicht mehr, seufzte Nelly, noch bevor sie die Torte überhaupt angeschnitten hatten. Der Wein, den Irma gekauft hatte, der teure Weißwein, war, wie Nelly ihr erklärte, eigentlich ein Dessertwein. Er paßte gar nicht zu Fisch, aber sie tranken ihn trotzdem. Irma trank ihn, Nelly nippte nur daran.

Hast du dich schon für eine Insel entschieden, fragte Irma.

Nelly schüttelte den Kopf. Sie seufzte.

Diese ganzen Prospekte verwirren mich nur.

Nelly ging früh schlafen. Irma saß auf dem Sofa und löffelte blind die Torte in sich hinein, während sie auf den flimmernden Fernsehbildschirm starrte. Sie ließ den Apparat ohne Ton laufen.

Durch die wechselnden Sendungen hindurch sah sie Palmen, Meer und Eugens Gesicht. Sie sah Nelly in einem dunkelroten Badeanzug, ein exotisch bedrucktes Tuch um die Hüften geschlungen. Sie trug einen riesigen Strohhut auf dem Kopf und ein Plastikeimerchen in der Hand. Sie ging am Strand entlang und sammelte Muscheln. Sie selber blieb mit Eugen ein wenig zurück. Sie hielten sich an den Händen.

Irma aß ungefähr die Hälfte der Torte auf, dann schaltete sie den Fernseher aus, legte sich zurück und zog die Decke über sich.

Elf

Irma wachte erst auf, als Nelly sich in der Küche zu schaffen machte. Verwirrt setzte sie sich auf. Wie spät ist es, murmelte sie.

Sie schwang ihre Füße aus dem Bett und landete in der Torte, die sie neben das Bett gestellt hatte. Viel war sowieso nicht mehr übriggeblieben. Die süße Füllung quoll zwischen ihren Zehen hervor.

Liebes, wie ungeschickt, rief Nelly, die, in einen neuen, dezent karierten, flauschigen Morgenmantel gehüllt, die Reste von gestern aufräumte und das Geschirr abwusch. Irma saß hilflos auf dem Bettrand, die Füße in der Torte. Nelly brachte eine Plastikschüssel voll warmem Wasser und ein frisches Küchentuch. Sie wusch Irmas Füße und tupfte sie sanft trocken.

Du hast doch nicht etwa gestern nacht noch die halbe Torte aufgegessen, fragte sie.

Doch. Irma schluckte. Doch, das habe ich.

Nelly schüttelte den Kopf.

In deinem Alter habe ich auch immer viel gegessen, sagte sie.

Irma stand auf.

Du bist spät dran, sagte Nelly, lauf und zieh dich an, ich mache unterdessen das Frühstück.

Nein, laß nur, ich habe gar keine Zeit mehr, wehrte Irma ab.

Doch als sie aus der Dusche kam, war das Frühstück fertig und die Küche sauber aufgeräumt. Irma setzte sich und biß in ein Brötchen.

Heute gehe ich zu Professor Dombrowski und kündige, sagte sie munter.

Professor Dombrowski, sagte Nelly. Ich erinnere mich an ihn!

Ich könnte ihm die Reste vom Lachs von gestern mitbringen, sagte Irma, den kann man gut auch kalt essen.

Untersteh dich, rief Nelly. Der ist absolut verschwendet an diesen schmutzigen alten Mann.

Irma umarmte Nelly, bevor sie ging.

Sei brav, sagte sie. Wenn ich nach Hause komme, gehen wir zusammen einkaufen. Wir brauchen Badeanzüge, Sonnenhüte . . .

. . . Strandmatten, Schwimmbälle, Sonnenbrillen, fuhr Nelly träumerisch fort.

Leichte Kleider und Gummisandalen, rief Irma in der Türe.

Professor Dombrowski verstand überhaupt nichts.

Wieso können Sie nicht mehr kommen, fragte er, haben Sie es nicht gut bei mir?

Ich verreise, schrie Irma, obwohl sie wußte, daß es nicht eine Frage der Lautstärke war. Der alte Mann tat ihr leid. Er saß in seinem staubigen Lehnstuhl und sah auf seine großen Hände.

Es tut mir wirklich leid, sagte sie etwas leiser, aber ich werde einfach nicht mehr hiersein.

Was soll jetzt aus mir werden, murmelte er.

Sie müssen sich wohl eine neue Putzfrau suchen.

Irma, sagte der alte Mann, Sie sind mehr für mich als nur eine Putzfrau.

Irma stand auf.

Wissen Sie was, sagte sie in gezwungen fröhlichem Ton, ich koche Ihnen etwas Schönes.

Professor Dombrowski richtete sich auf. Er wünschte sich ein Filetgulasch Stroganoff. Irma mußte noch einmal einkaufen gehen und sich unterwegs ein Kochbuch besorgen. Sie putzte an diesem Vormittag nur flüchtig. Das Stroganoff war ziemlich aufwendig.

Wie das riecht! rief der alte Mann. Hmmm, wie das riecht!

Er lief aufgeregt in der Küche auf und ab und blickte über Irmas Schulter.

Sie deckte ihm den Tisch und schenkte ein Glas Bier ein. Das hatte er sich gewünscht.

Sie setzte sich nicht zu ihm, sondern blieb am Herd stehen und sah zu, wie er in wenigen gierigen Bissen das Fleisch in sich hineinschlang, ungeniert schmatzte, die Finger ableckte und die Häutchen der Paprika ausspuckte. Er trank einen großen Schluck Bier und rülpste zufrieden. Irma lächelte gezwungen.

Dann gehe ich jetzt, sagte sie. Der Professor stand auf und umarmte sie.

Danke, mein Kind, sagte er gerührt. Sie kochen wie meine Mutter!

Irma versprach, ihm eine Postkarte zu schicken. Außerdem würde sie versuchen, eine neue Putzfrau zu finden.

Nicht nötig, mein Kind, sagte der Professor, die Nachbarin von oben liegt mir schon lange in den Ohren, sie wolle mir den Haushalt führen. Eine aufdringliche Person, unter uns gesagt.

Ach!

Irma lachte.

Dann viel Glück.

Als sie das Haus verließ, meinte sie eine Bewegung hinter den Gardinen zu sehen. Bestimmt die Nachbarin.

In der Wohngemeinschaft wurde sie schon ängstlich erwartet. Damit hatte sie gerechnet. Ach, ich dachte schon, du läßt mich im Stich, seufzte Barbara.

Ich möchte etwas mit dir besprechen, sagte Irma. Können wir in die Küche gehen?

Nicht in die Küche, zögerte Barbara, gehen wir in mein Zimmer.

Irma versuchte, im Vorbeigehen einen Blick in die Küche zu erhaschen, aber die Türe war verschlossen. Barbaras Zimmer war nicht sehr groß. Im Erker stand ein Schreibtisch, das niedrige Bett war durch einen alten, handbemalten Paravent geschützt. Über dem Paravent hingen Schals. Das Zimmer war voller Topfpflanzen. Niemand würde vermuten, daß hier eine fünfunddreißigjährige Sportlehrerin wohnte.

Setz dich.

Barbara wies auf einen abgewetzten Lehnstuhl. Sie selber setzte sich an den Schreibtisch. Sie schob sich einen Finger in den Mund und kaute am Nagel.

Leider muß ich doch kündigen, sagte Irma.

Nein! Barbara sprang auf. Nein, das kannst du mir nicht antun. Du hast es versprochen!

Es hat sich alles geändert, sagte Irma.

Aber es ist doch nicht wegen dieser ... dieser ...

Nein. Ich werde verreisen, ich weiß noch nicht, wie lange ich fort sein werde.

Barbara setzte sich wieder und betrachtete nachdenklich ihren abgekauten Fingernagel. Na gut, sagte sie schließlich, da kann man nichts machen. Suchen wir uns eben jemand anderen.

Das war erst die schlechte Nachricht, sagte Irma.

Ah ja? Gibt es noch eine gute?

Kennst du Frau Doktor Schwarz?

Nicht persönlich.

Irma zog die aufgeschlagene Zeitung mit der Rede über unangemeldete Gäste aus der Tasche. Barbara winkte ab.

Ja, das habe ich gelesen, und?

Sie wäre bereit, Eva und das Kind aufzunehmen.

Barbara verharrte ganz regungslos.

Sie wäre bereit, Eva und das Kind aufzunehmen? wiederholte sie ungläubig.

Ja. Ich putze dort, verstehst du, und habe sie darauf angesprochen.

Irma lächelte und versuchte so auszusehen, als sei es ganz selbstverständlich, daß sich die Putzfrau um diese Dinge kümmerte.

Barbara lehnte sich zurück, blies die Backen auf und stieß langsam und pfeifend die Luft aus. Einen Augenblick entspannte sich ihr Gesicht. Doch dann setzte sie sich wieder gerade hin.

Wer sagt denn, daß Eva einverstanden ist?

Oh, sie wird schon einverstanden sein, sagte Irma zuversichtlich.

Wir müssen sie fragen. Barbara stand auf.

Ist sie da?

Tatsächlich diskutierten die anderen in der Küche gerade die Frage, ob Eva und dem Kind nicht von Rechts wegen zwei Zimmer zustehen müßten.

Barbara hob die Stimme.

Stefan meint, es sei für die Entwicklung des Kindes wichtig, daß es einen eigenen Raum hat.

Ja, aber . . .

Barbara zuckte mit den Schultern. Hilflos breitete sie die Arme aus und schnitt eine Grimasse.

Evas Vorschlag war, daß Stefan in mein Zimmer ziehen sollte. Das Biest! Sie weiß genau, daß wir nicht mehr . . . Nun, jetzt überlegen sie, ob Stefan ins Wohnzimmer zieht . . . oder ob er ganz auszieht . . .

Ich bin sicher, Eva wird sich mit Frau Doktor Schwarz ganz wunderbar verstehen, sagte Irma.

Barbara legte die Hand auf die Türfalle.

Also los, sagte sie beinahe fröhlich.

In der Küche herrschte besorgte Stimmung. Eva und das Kind hatten sich auf der einen Bank ausgebreitet und krümelten einen trockenen Kuchen über den Tisch. Beide hatten schmollend die Unterlippe vorgeschoben. Peter hatte auf einem Stück Papier den Grundriß der Wohnung aufgezeichnet. Stefan saß dumpf daneben, während auf dem Herd der Wasserkessel zu pfeifen begann. Barbara schaltete den Herd aus.

Na, habt ihr euch geeinigt, fragte sie liebenswürdig.

Eva warf ihr einen mißtrauischen Blick zu.

Das ist ja ganz toll, fuhr Barbara fort, obwohl es natürlich schade ist, daß du diese Chance jetzt nicht wahrnehmen kannst. Aber ich freue mich, wenn du bei uns bleibst. Natürlich hättest du in der Villa mehr Platz für dich, aber . . .

Villa? Eva horchte auf.

Oh, das hat sich ja nun erledigt.

Sag mal, wovon redest du eigentlich, fragte Stefan, und Peter mischte sich auch gleich ein: Wenn du meinst, du kannst Eva einfach so loswerden . . .!

Aber das will ich doch gar nicht. Nein, ich habe nur gerade erfahren, daß Frau Doktor Schwarz, ihr wißt schon, die Politikerin, daß sie bereit wäre, in ihrer Villa eine junge Frau mit Kind aufzunehmen, versteht ihr, um ihre Theorien über alleinstehende Mütter in die Praxis umzusetzen. Es stand in der Zeitung. Nun ja, wahrscheinlich haben sich ja auch schon Tausende von jungen Müttern gemeldet . . .

Und warum erfahre ich das erst jetzt, rief Eva. Ich weiß schon, du willst nicht, daß ich auch einmal eine Chance bekomme. Du bist ja nur eifersüchtig!

Das glaube ich leider auch, sagte Stefan eisig.

Aber gar nicht, wehrte sich Barbara. Hier, ich habe den Artikel sogar ausgeschnitten. Sie schob die Zeitungsseite halb über den Tisch, Eva riß sie ihr aus den Händen.

Die Schwarzens bewohnen eine wunderschöne Villa hoch über der Stadt, sagte Barbara leise. Es klang wie der Anfang von einem Märchen. Sie haben einen großen Garten, ideal für ein Kind. Es sind halbwüchsige Kinder da, die sich liebend gern als Babysitter betätigen, und Frau Doktor Schwarz würde für alle anfallenden Kosten aufkommen . . .

Mehr brauchte es gar nicht, Eva stand schon auf, setzte sich Vanessa auf die Hüfte und drückte sich am Tisch vorbei.

Warte doch, ich fahre dich hin, bot Stefan an.

Ich glaube, das würde ihre Chancen nicht gerade erhöhen, gab Barbara zu bedenken. Das Angebot richtet sich schließlich an alleinstehende Mütter.

Da hat sie bestimmt recht, sagte Eva langsam. Stefan überlegte einen Augenblick. Widerwillig mußte er zugeben, daß sie recht hatten.

Laß mich dich wenigstens bis zur Straßenecke bringen, bat er, ich mische mich auch bestimmt nicht ein.

Eva zögerte. Also gut, sagte sie, dann nehme ich am besten meine Sachen gleich mit.

Nimm nicht zuviel mit, sagte Barbara, sie werden dich bestimmt neu ausstatten wollen.

Die Türe fiel ins Schloß, und einen Augenblick lang blieb es still. Peter malte am Wohnungsplan weiter. Barbara stand auf und goß den Tee auf.

Ich glaube nicht, daß wir sie wiedersehen, sagte Peter, und zwar alle beide nicht.

Schon gut, sagte Barbara, dann haben wir eben wieder zwei Zimmer frei. Du suchst nicht zufällig etwas, wandte sie sich an Irma.

Irma lächelte.

Vielleicht, sagte sie.

In den Warenhäusern hatte der Weihnachtsverkauf begonnen. Daran hatte Irma nicht gedacht. Nelly klammerte sich fest an ihren Arm, um von der Masse nicht einfach niedergewalzt zu werden. Sie trug trotz des nebligen Nachmittags eine dunkle Sonnenbrille und ein Seidentuch. Sie suchten nach Badeanzügen, Strandmatten, Frotteetüchern, Sonnenlotionen und dicken Büchern für ihre Reise. Irma hatte Nelly eine Freude machen wollen. Jetzt stellte sie fest, daß der Ausflug sie nur ermüdete. Irma fand es schwierig, einen Badeanzug zu finden, der ihrer Größe gerecht wurde, und Nelly mußte feststellen, daß ihr schmaler, kleiner Körper in den letzten Jahren erbarmungslos geschrumpft war. Im gnadenlosen Neonlicht der Umkleidekabinen sah Nelly erschreckend mager aus. Irma staunte über die ungesunde Blässe ihrer eigenen Haut, über die schmutzigen Schatten, die ihre dichte Körperbehaarung warf. Sie griff in ihr weißes, weiches Fleisch und fragte sich, ob es wirklich ihr gehörte. Sie beschloß, nichts mehr anzuprobieren.

Irma ging mit Nelly in die Kinderabteilung. Tatsächlich fanden sie da ein paar einfach geschnittene Badeanzüge, die Nelly paßten.

Nelly setzte sich auf die Bank in der Umkleidekabine und schloß die Augen.

Welchen möchtest du, den grünen, den blauen, den gestreiften?

Nelly gab keine Antwort. Irma packte alle sieben Badeanzüge ein. Für jeden Tag einen anderen, dachte sie.

Vor den Kassen hatten sich dichte Trauben gebildet. Mehrheitlich Frauen waren es, mit Tüten und Paketen beladen, die sie rücksichtslos als Waffen einsetzten, um sich vorzudrängen. Irma bekam Kopfschmerzen, das grelle Neonlicht stach ihr in die Augen. Dann fiel Nelly um. Sie sank einfach zusammen, lautlos. Irma merkte erst nur, daß der sanfte Druck an ihrem Arm nachgelassen hatte.

Nelly! rief sie und drehte sich um.

Die Frauen mit den Einkaufstüten wichen zur Seite und bildeten einen Halbkreis um Nelly. Sie schienen es plötzlich nicht mehr eilig zu haben. Irma kniete sich neben Nelly, löste das Kopftuch und knöpfte den Mantel auf. Die Sonnenbrille war von ihrer schmalen Nase gerutscht.

Irma erschrak, als sie Nellys Gesicht sah. Ihre Haut war grau, ihre Wangen eingesunken, die Schatten unter den Augen und die Lippen hatten eine dunkelviolette Färbung. Die Kassierin drückte einen Knopf und rief über die Gegensprechanlage einen Arzt herbei.

Irma hielt Nellys eiskalte Hand und redete sich ein, ihren Puls zu fühlen, schwach, aber regelmäßig.

Oder war es ihr eigener?

Irma hatte Angst.

Ein junger Arzt kam mit langen Sprüngen herbeigeeilt, drängte sich durch die Schaulustigen, die immer noch gespenstisch schwiegen, und ging in die Knie. Er riß Nellys Kleider auf, drückte auf ihren Brustkorb und gab ihr schließlich eine Spritze. Nellys Gesicht wurde langsam rosiger, ihre Brust hob und senkte sich regelmäßig, und dann schlug sie die Augen auf. Sie sah Irma fragend an.

So, geht es wieder, fragte der Arzt freundlich und kontrollierte den Puls.

Er wandte sich Irma zu. Das ist noch einmal gutgegangen. Ich möchte sie aber trotzdem ins Krankenhaus bringen.

Nellys Augen sagten nein.

Nicht ins Krankenhaus, flüsterte Irma.

Ich fürchte, ihr allgemeiner Gesundheitszustand ist nicht gerade gut.

Das... das stimmt schon, stotterte Irma. Meine... meine Großtante kommt aus Rumänien, Sie verstehen. Sie hat keine Krankenkasse... Außerdem fürchtet sie sich, wenn sie unter fremden Menschen ist... Sie ist erst seit wenigen Wochen hier, und ich versuche, sie aufzupäppeln, natürlich mit Unterstützung meines Hausarztes.

Nelly schloß die Augen. Irma sah, wie sie ihre Lippen zusammendrückte, als versuchte sie ein schwaches Kichern zurückzuhalten.

Der Arzt zögerte. Ich verstehe, sagte er. Obwohl er es ganz offensichtlich nicht tat. Er stellte ein Rezept für ein Kreislaufmittel aus und tätschelte Irmas Schulter.

Sie sind ein tapferes Mädchen, sehr tapfer, sagte er gönnerhaft, obwohl er nicht viel älter als Irma sein konnte. Irma senkte den Kopf. Sie kämpfte gegen hysterisches Lachen, das ihr wie Luftblasen in den Hals stieg. Sie vermied es, Nelly anzusehen.

Die Warenhausleitung bestellte ein Taxi und vergaß in der Aufregung, die Badeanzüge zu verrechnen.

Das war das einzig Gute daran.

Nelly lag auf dem Sofa und atmete mühsam. Irma wärmte mit zitternden Händen eine Suppe auf. Die Badeanzüge lagen auf dem Boden verstreut. Irma trat mit der Suppentasse an das Sofa. Nelly hielt die Augen geschlossen.

Nelly, sagte Irma halblaut, Nelly, kannst du mich hören?

Nelly öffnete die Augen. Irma stützte ihren Kopf und flößte ihr die heiße Suppe ein. Nach drei oder vier Schlukken winkte Nelly ab.

Genug, flüsterte sie.

Sie sank zurück und schloß die Augen. Irma stellte die Suppentasse auf den Boden.

Noch zehn Tage, dachte sie. Halt durch, Nelly! Es sind nur noch zehn Tage.

Später, als sie Nelly ins Bett brachte, wachte sie noch einmal auf. Sie sah Irma forschend an, dann lächelte sie schwach.

Du bist mir eine, flüsterte sie. Großtante aus Rumänien!

Dann schlief sie wieder ein.

Irma schlief nicht in dieser Nacht. Zum ersten Mal fragte sie sich, was das alles für einen Sinn hatte. Dieser pompöse Rachefeldzug. Was ging es sie an? Nelly würde wahrscheinlich sterben, bevor alles vorbei war.

Irma stand am Fenster und lehnte ihre Stirn gegen die kühle Scheibe.

Als sie sich am nächsten Morgen auf den Weg zur Arbeit machte, blieb sie bei der Telefonkabine stehen und rief Reto an. Sie bat ihn, auf Nelly aufzupassen, bis sie wieder zurückkäme.

Mach ich, sagte Reto.

Kurz vor acht kam sie bei den Schwarzens an und fand die ganze Familie in der Küche versammelt. Der Frühstückstisch war wie vor der Krise liebevoll gedeckt und mit Blumen geschmückt. Am Kopfende saß Eva, neben ihr thronte Vanessa in einem Babystuhl, der himmelblau bemalt und mit Wolken verziert war.

Irma blieb einen Augenblick lang in der Türe stehen. Das hatte sie nicht erwartet.

Guten Morgen, sagte Irma.

Setzen Sie sich ruhig einen Augenblick zu uns, sagte Frau Doktor Schwarz, trinken Sie eine Tasse Kaffee. Sie sind ja früh dran heute.

Irma setzte sich.

Das sind unsere neuen Familienmitglieder, Eva und Vanessa, sagte Frau Doktor Schwarz stolz.

Sie nickte Eva flüchtig zu. Sie reagierte nicht. Sie legte offenbar keinen Wert darauf, die Putzfrau zu kennen. Irma fragte sich, was sie wohl über die Wohngemeinschaft erzählt hatte.

Wir haben sie bei uns aufgenommen, fuhr Frau Doktor Schwarz fort, das ist unsere Art, einen kleinen Beitrag zu leisten.

Frau Doktor Schwarz lächelte, zufrieden mit sich. Sie sah beinahe hübsch aus. Die neue Aufgabe hatte sie eindeutig belebt und verjüngt. Die ganze Familie zeigte sich von ihrer besten Seite, der einzigen Seite, die Irma zwei Jahre lang gekannt hatte.

Die beiden Söhne saßen wieder am Tisch, etwas bockig zwar und wortlos, aber sie waren da und schluckten brav ihre Lebertrankapseln. Die kleine Edith war ungeschminkt, dafür hatte sie sich offenbar selber die blonden Fransen geschnitten. Sie waren etwas sehr hoch gerutscht. So sah sie aus wie eine uneheliche Tochter von Doris Day, ein Musterkind mit einem hinterhältigen Lächeln. Sibylles Gesichtszüge wirkten seltsam verzerrt durch die straff nach hinten gezogenen Haare. Um den strengen Haarknoten hatte sie ein buntes Tuch gewickelt. Irma ließ sich nicht täuschen. Sie nahm an, daß das Mädchen gar nicht mehr zur Schule ging, sondern direkt zum Balletttraining.

Herr Schwarz wirkte sanft und verwirrt wie immer. Zärtlich ruhte sein kurzsichtiger Blick auf Vanessa. Herr Schwarz hatte eine Schwäche für Babys.

Frau Doktor Schwarz bemerkte Irmas Blick und nickte stolz.

Stellen Sie sich vor: Eva hat den Abdruck meiner Rede in der Zeitung gelesen und sich hilfesuchend an mich gewandt!

Sie schien sich nicht mehr zu erinnern, daß Irma ihr von einer jungen Mutter erzählt hatte. Sie glaubte viel lieber, daß sie das arme Geschöpf selber gefunden und spontan von der Straße weggeholt hatte. Irma war es recht so.

Wunderbar, sagte Irma trocken, aber vergessen Sie nicht, ich übernehme keine Kinderhütedienste. Sonst werde ich mit meiner Arbeit nicht fertig.

Frau Doktor Schwarz runzelte die Stirn.

Also ich bitte Sie, wie können Sie nur so unsolidarisch reagieren! Wir müssen doch jetzt zusammenhalten! Haben wir nicht alles für Sie getan?

Irma schluckte.

Dann fiel ihr ein, daß sie ja nicht mehr oft hierherkommen würde. Es konnte ihr vollkommen gleichgültig sein.

Natürlich, Sie haben recht. Ich meine ja nur, daß ich nicht alles gleichzeitig erledigen kann.

Frau Doktor Schwarz ging auf die letzte Bemerkung nicht ein. Das Geheimnis ihres Erfolges lag wohl darin, daß sie alles, was nicht in ihr Konzept paßte, hoheitsvoll ignorierte.

Morgen habe ich einen Termin mit einem Journalisten,

sagte sie. Schauen Sie also zu, daß Sie das Haus in Ordnung bringen!

Träumerisch bestrich sie ihr Brot. Sie stellte sich vor, wie es den Journalisten beeindrucken würde, diese junge Mutter mit Kind im Haus vorzufinden . . . Morgen, dachte Irma, morgen erscheint der Artikel von Selma, und der Journalist wird ganz andere Fragen an dich haben!

Frau Doktor Schwarz tupfte sich die Lippen ab und stand auf.

Nun, Irma, heute können Sie jedenfalls in Ruhe arbeiten. Ich fahre mit Eva und dem Kind in die Stadt, um ein paar Sachen zu besorgen, und dann kümmern wir uns um die Formalitäten für das Austauschjahr unserer Buben. Sie fahren nämlich nach Amerika!

Kompliment, dachte Irma.

Frau Doktor Schwarz klatschte in die Hände, und die ganze Familie rannte, sich die Zähne zu putzen. Eva stand auf und hob das Kind aus dem Stuhl. Irgend etwas an ihren mürrischen, schleppenden Bewegungen ließ Irma ahnen, daß sie schon nicht mehr ganz von ihrem Glück überzeugt war. Die Art, wie Frau Doktor Schwarz sie herumdirigierte, schien ihr nicht zu gefallen.

Sehr gut, dachte Irma, sie werden sich gegenseitig das Leben zur Hölle machen.

Der Zettel liegt auf dem Tisch, rief Frau Doktor Schwarz, bevor sie das Haus verließ. Sie trieb ihre Familie wie eine kleine Herde vor sich her.

Der Zettel liegt auf dem Tisch, wiederholte Irma. Frau Doktor Schwarz war wieder ganz die alte.

IRMA, BITTE BRINGEN SIE DAS GANZE HAUS AUF HOCHGLANZ, UND ICH MEINE AUF HOCHGLANZ!! S.

Irma zerknüllte den Zettel.

Sie haben noch vierundzwanzig Stunden, dachte sie böse. Nicht einmal ganz. Genießen Sie sie ruhig.

Sie band sich ein Tuch um die Haare und schlüpfte in eine Ärmelschürze. Frau Doktor Schwarz konnte den Anblick ihrer Putzfrau, die sich als Putzfrau verkleidet hatte, nicht ertragen.

Irma fing ganz oben an. Der große ausgebaute Dachboden, den bisher alle vier Kinder gemeinsam benutzt hatten, war Eva zur Verfügung gestellt worden. Die Kinder hatten ihre Sachen schon wegräumen müssen. Irma fragte sich, wohin. Ihre Zimmer waren ohnehin sehr klein.

Der Dachraum ging über die ganze Grundfläche des Hauses. Es gab eine Dusche und eine Toilette und sogar eine Kochnische. Irma war sicher, daß Eva diese nie benutzen würde. In der Mitte des Raumes hingen Schaukel und Ringe von der Decke. Frau Doktor Schwarz hatte offenbar die alten Kindermöbel aus dem Keller geholt, ein kleines Bett stand da, eine Wickelkommode, ein kleiner Tisch und zwei Stühlchen, alles liebevoll mit Himmel und Wölkchen bemalt. Sogar ein paar alte Spielsachen hatte sie aufgetrieben, abgewetzte Plüschtiere und bunte Holzklötze. Irma fragte sich, ob Eva Sinn für diese alten Sachen hatte. Oder ob sie darauf bestehen würde, daß man alles neu kaufte . . . Ein Stockwerk tiefer lagen die Zimmer von Herrn und Frau Doktor Schwarz sowie das Badezimmer. Das Badezimmer war aus zwei kleinen Zimmern zusammengelegt worden. Es war doppelt so groß wie die üblichen Norm-Badezimmer und ganz weiß gekachelt. Auf dem Bord standen nur die Zahnbürsten, das Rasierzeug von Herrn Schwarz und eine Allzweckcreme. Frau Doktor Schwarz benutzte keinerlei Kosmetik außer einer Sammlung von teuren Lippenstiften, die sie in einer Vitrine aufbewahrte. Irma erinnerte sich, was Vanessa mit Lippenstiften anzufangen wußte, und ließ die Vitrine leicht offenstehen.

Im Badezimmer der Familie Schwarz stand ein blau-weiß gestreifter Liegestuhl. Die Art Liegestuhl, die auf dem Sonnendeck eines Luxuskreuzers steht. Irma stellte sich oft vor, wie das wäre, nach einem langen, heißen Bad in ein flauschiges Tuch gewickelt da zu liegen und zu träumen. Soweit war es nie gekommen. Sie hatte nie genug Zeit dafür gehabt. Aber bevor sie dieses Haus verlassen würde, das schwor sie sich, würde sie es tun.

Die endlosen weißen Fliesen waren nicht so einfach sauberzuhalten. Durch das große Fenster fiel das Tageslicht unbarmherzig auf eventuelle Schlieren. Irma rieb die Fliesen mit einem Fensterputzmittel ab. Davon wurden sie vielleicht nicht unbedingt sauber, aber jedenfalls gab es keine Schlieren.

Im Kinderzimmer griff sie als erstes nach Ediths Tagebuch.

11. 12. Etwas Furchtbares ist passiert: Hannes und Christian sind BEIDE aus der Schule geflogen. Es heißt, sie hätten DROGEN verkauft. Das kann unmöglich wahr sein. Ich bin sicher, sie wissen nicht einmal, was Drogen sind oder wie sie aussehen, geschweige denn, was sie kosten. Mama hat GETOBT. Sie wollte es nicht glauben. Sie wollte die Schulleitung verklagen und den weiteren Schulbesuch erzwingen, aber Christian hat alles ZUGEGEBEN, und so wie es aussieht, können sie froh sein, wenn sie nicht angezeigt werden. Hannes hat sich immer nur darüber beschwert, daß der Rektor den Brief der Putzfrau gegeben hat. Stell dir vor, der Putzfrau! sagte er immer wieder, als ob es darum ginge. Allerdings kann ich sie auch nicht

ausstehen! Und ich weiß wirklich nicht, wie ich Tony nach alldem noch unter die Augen treten kann.

12. 12. Mama ist mit Hannes und Christian wandern gegangen. Den ganzen Tag. Sie hat alle Termine abgesagt. Die FAMILIE geht vor, sagt sie, vor allem in solchen Momenten. Ich nehme an, sie wollte herausfinden, wer sie dazu gebracht hat, denn daß sie von selber nicht auf so eine Idee gekommen sein können, ist ja wohl klar. Ich bin ganz sicher, es ist der Neger, aber mich fragt ja keiner.

Abends: FAMILIENKONFERENZ. Hannes und Christian sollen für ein Jahr nach Amerika fahren und dort ein College besuchen oder wie das heißt! Und zwar in verschiedenen Orten, damit sie selbständig werden und keinen schlechten EINFLUSS aufeinander haben. Also, wenn du mich fragst, liebes Tagebuch, werden sie noch dafür BELOHNT, was sie getan haben!! Ich habe mir direkt überlegt, selber eine Dummheit anzustellen. In Amerika gibt es spezielle Schriftstellerkurse, die meisten Abgänger können nachher ein Buch veröffentlichen. Aber Tony hat gesagt, Amerika ist nur eine Scheinkultur, und aus diesen Kursen sei noch kein WIRKLICHER Schriftsteller hervorgegangen, und er muß es ja wissen.

Ich mache mir Sorgen um Papa, ich GLAUBE, er hat angefangen zu trinken!! Ist das nicht furchtbar? Aber auch so interessant. Tony hat gesagt, aus intakten Familien gehen keine Schriftsteller hervor. Ich habe immer gedacht, wir wären eine intakte Familie, aber jetzt sieht es eigentlich nicht mehr danach aus, und das kommt mir gerade recht. Isabelle hat schon wieder eine bessere Note im Aufsatz als ich. Ich WEISS, daß sie früher immer in den Kinderhort gehen mußte – ob es wohl daran liegt?

Tony hat gesagt, ich muß ÜBEN, wenn ich Schriftstellerin werden will. Tagebuch läßt er nicht gelten: Das sei typisch

Frau und literarisch nicht relevant . . . dingsda. Jedenfalls muß ich lernen, zu BESCHREIBEN. Irgend etwas, zum Beispiel . . . MEIN ZIMMER

. . . dazu fällt mir nichts ein.

13.12. Ich GLAUBE es einfach nicht!! Mama hat eine junge Frau mit einem BABY aufgenommen!! Ohne uns zu fragen! Wir kommen aus der Schule und erfahren, daß wir den Dachboden räumen müssen!!! Mama sagt, das sei wichtig für ihr IMAGE. Und wir??

Hannes und Christian gehen nach Amerika, und Sibylle bereitet sich auf die Ballettakademie vor. Und ich? Ich bleibe als einzige als BABYSITTER übrig. Wie soll ich da noch Schriftstellerin werden?

P.S. Ich könnte versuchen, das Baby zu beschreiben.

Irma grinste. Die familiären Probleme schienen sich auf den Schreibstil der Kleinen eher günstig auszuwirken. Ihre völlige Ungerührtheit hatte etwas Faszinierendes. Irma glaubte keine Sekunde lang, daß sie wirklich als Babysitterin versauern würde. Dazu war sie viel zu schlau.

Irma war schon im Erdgeschoß angelangt, als Frau Doktor Schwarz mit Eva und Vanessa zurückkam. Irma hatte geahnt, daß unter diesen Umständen bestimmt nicht auf das gemeinsame Mittagessen verzichtet werden würde, und hatte rechtzeitig den Tisch gedeckt.

Frau Doktor Schwarz strahlte über das ganze Gesicht. Irma! rief sie, ließ ihre Pakete fallen und breitete die Arme aus. Ich habe ja gar nicht gewußt, was es heutzutage alles zu kaufen gibt! Die Kindersachen haben sich ja so geändert in den letzten fünfzehn Jahren!

Eva hob die Kleine in den Kinderstuhl und setzte sich an den Tisch. Ihr Gesicht war glatt. Sie faltete die Hände und wartete darauf, bedient zu werden. Frau Doktor Schwarz schob das vorbereitete Essen in den Mikrowellenherd.

Was ißt denn die Kleine, fragte sie fürsorglich.

Oh, machen Sie sich nur keine Umstände, sagte Eva mit ihrer zarten Stimme, sie ißt eigentlich am liebsten pürierte Kartoffeln mit Kräuterbutter oder Früchtequark, aber nur eine bestimmte Marke.

Diese Sorte war natürlich nicht da, und bis die Kartoffeln weich gekocht waren, verging eine ganze Weile. Vanessa begann in ihrem Stuhl zu quengeln und schmiß alles, was Frau Doktor Schwarz ihr ersatzhalber anbieten wollte, Zwieback, Bananen, Yoghurt oder das griechische Moussaka, das sie aufgewärmt hatte, in hohem Bogen auf den Boden.

Das Lächeln von Frau Doktor Schwarz wurde immer verkniffener.

Meine Kinder haben immer alles gegessen, sagte sie.

Ich finde aber nicht, daß man ein so kleines Kind mit Gewalt zum Essen zwingen sollte, sagte Eva sanft.

Nein, natürlich nicht. So habe ich es nicht gemeint.

Schließlich stand Eva selber auf, um die Kartoffeln mit der Gabel zu zerdrücken. Sie tat es so langsam und umständlich, daß Frau Doktor Schwarz, die längst aufgegessen hatte, ein sichtbar schlechtes Gewissen bekam. Irma war es nicht anders gegangen, als sie diese Szene zum ersten Mal miterlebt hatte. Endlich bekam die Kleine ihr Essen, sie aß alles auf und quietschte zufrieden. Frau Doktor Schwarz entspannte sich ein wenig und begann die Frage der Bildung anzusprechen.

Wann werden Sie sich endlich einen Ruck geben und sich in dieser Abendschule einschreiben? Ihr Ton war beinahe mütterlich streng.

Irma lächelte verlegen.

Meinen Sie wirklich . . .

Frau Doktor Schwarz schüttelte in gespielter Hilflosigkeit den Kopf.

Irma! rief sie. Sie wissen nicht, was Ihnen entgeht! Ein Schulabschluß eröffnet Ihnen ganz neue Welten! Von einem Studium ganz zu schweigen. Den Gebildeten gehört die Welt!

Das stimmte nun ganz und gar nicht, wie Irma aus eigener Erfahrung wußte, und sie mußte sich auf die Zunge beißen, um nicht damit herauszuplatzen.

Ich habe einen Schulabschluß! Ich habe studiert! Und jetzt sehen Sie mich an!

Sie können doch nicht immer und ewig Putzfrau bleiben, gab Frau Doktor Schwarz zu bedenken, obwohl, sie lächelte freundlich, obwohl ich Sie natürlich ungern verlieren würde.

Ja, sagte Irma, genau, darüber wollte ich mit Ihnen reden. Ich . . . habe vor zu kündigen.

So? Diese Abendschule ist doch berufsbegleitend, sagte Frau Doktor Schwarz ungeduldig.

Eva verzog das Gesicht. Das Gespräch hatte sich nun lange genug nicht mehr um sie gedreht. Sie stand auf, hob das Kind aus dem Babystuhl und murmelte etwas wie: Es wird langsam Zeit für unseren Mittagsschlaf.

Sie huschte leise aus der Küche und ließ die ganzen Reste der chaotischen Mahlzeit zurück. Irma konnte sehen, wie Frau Doktor Schwarz den Punkt notierte und sich vornahm, Eva zu erziehen. Sie wußte noch nicht, was die engelhaft zarte junge Frau für ein Gegner war. Und Vanessa war ihre Geheimwaffe.

Irma stand sofort auf und begann die Bananenschalen, Yoghurtbecher, Zwiebackkrümel umständlich einzusammeln.

Wie gesagt, ich kündige auf Ende Jahr, murmelte sie.

Ende Jahr??

Die Stimme von Frau Doktor Schwarz überschlug sich.

Das ist in drei Wochen! Das können Sie nicht machen! Sie haben eine Kündigungsfrist einzuhalten.

Irma lächelte entschuldigend.

Das habe ich nicht.

Frau Doktor Schwarz wußte das auch.

Irma, lassen Sie mich an Ihre Loyalität appellieren. Sie können mich doch in dieser Zeit nicht im Stich lassen. Wie soll ich denn über die Feiertage jemanden finden?

Irma zuckte mit den Schultern.

Es geht nicht anders.

Es geht nicht anders? Sie wollen es nicht anders!

Irma gab sich nicht die Mühe, nach einer Entschuldigung oder Erklärung zu suchen. Sie würde noch vor Ende des Jahres gehen, und Frau Schwarz würde es wahrscheinlich nicht einmal bemerken. Sie würde dann ganz andere Probleme haben.

Frau Doktor Schwarz stand auf.

Natürlich wird es dieses Jahr sowieso kein großes Fest geben, sagte sie in diesem Märtyrertonfall, den jede Mutter beherrscht: Mama ist nicht böse, nur traurig.

Es ist nämlich so, daß unsere Oma heute gestorben ist. Ich weiß nicht, wie ich das den Kindern beibringen soll.

Sie seufzte tief.

Aber das wird Sie ja kaum interessieren. Ich will Sie nicht mit Familienangelegenheiten belästigen.

Sie verließ das Zimmer mit tapfer gerecktem Kinn, und obwohl Irma es besser wußte, wäre sie ihr beinahe nachgerannt, um sich zu entschuldigen.

Sie konnte sich gerade noch zurückhalten und begann energisch, die Küche zu putzen.

Oma ist gestorben. Heute würde sie es der Familie mitteilen. Morgen erschien der Artikel von Selma Giger. Besser konnte es gar nicht laufen.

Um Punkt fünf kam Frau Doktor Schwarz die Treppe herunter. Sie hatte einen schwarzen Rollkragenpullover angezogen, der ihr Gesicht blaß erscheinen ließ. Sie reichte Irma den Umschlag mit dem Geld und fragte mit mühsam gefaßter Stimme:

Kann ich denn am Montag noch mit Ihnen rechnen?

Natürlich, sagte Irma demütig.

Da habe ich ja noch einmal Glück gehabt. Ich muß wohl dankbar sein, daß Sie mir nicht einfach so davonlaufen!

Irma sagte nichts.

Als Irma nach Hause kam, lag Nelly auf dem Sofa, eine Wolldecke über sich gebreitet. Reto saß auf einem Hocker neben ihr und betrachtete sie verzweifelt. Bei Irmas Eintreten hob Nelly schwach die Hand.

Irma ging vor dem Sofa in die Knie.

Wie geht es dir, fragte sie verzagt, denn sie konnte es ja sehen, überdeutlich. Es ging ihr nicht gut, die Schatten unter ihren Augen hatten einen erschreckend gelblichen Farbton angenommen, ihre Wangen waren eingefallen und ihre Lippen schmal.

Es geht mir gut, flüsterte Nelly.

Irma wechselte einen Blick mit Reto.

Er erhob sich linkisch von seinem Stuhl.

Jetzt, wo du da bist, könnte ich doch rasch einkaufen gehen, bot er an.

Irma nickte. Sie schrieb ihm eine Einkaufsliste, wie sie es von Nelly gelernt hatte, und gab ihm auch das Rezept mit, das der Notarzt ausgestellt hatte.

Nelly wachte einmal kurz auf, um ihre Medikamente mit ein bißchen Suppe einzunehmen, und schlief sofort wieder ein.

Reto trug Nelly ins Schlafzimmer und brachte sie zu Bett, während Irma den Tisch deckte. Es machte ihr nichts aus, daß er diesen intimen Dienst übernahm – fast nichts. Sie aßen schweigend, um Nelly nicht aufzuwecken, und weil sie beide nicht aussprechen wollten, was sie dachten. Und für etwas anderes war kein Platz. Reto verabschiedete sich flüsternd. Er würde am nächsten Tag wiederkommen.

Irma schlief sehr schlecht in dieser Nacht. Sie warf sich hin und her auf dem Bettsofa, das leise knarrte. Dann lag sie still und hielt den Atem an. Sie zählte bis tausend und zurück. Sie versuchte, sich eine Wandtafel vorzustellen, ein Trick, den sie im Psychologiestudium gelernt hatte und der nie funktionierte.

Nelly stirbt, noch bevor alles vorbei ist, schrieb sie mit imaginärer Kreide an die Tafel und wischte den Satz mit dem Schwamm wieder aus. Trotzdem konnte sie nichts anderes mehr denken. Und schlafen konnte sie erst recht nicht. Irma schob sich eine Hand zwischen die Beine und drehte sich gegen die Wand.

Dann drehte sie sich wieder auf den Rücken und versuchte, die Augenlider zu entspannen. Sie zählte ihre Atemzüge.

Schließlich richtete sie sich auf, zündete die Taschenlampe an und las ein Taschenbuch von vorne bis hinten, ohne ein Wort zu verstehen. Ihre Augen blieben ganz ruhig dabei, brannten nicht und fielen schon gar nicht von selber zu. Sie stand auf und holte sich ein Glas Wasser. Sie trank es im Stehen, in der unsinnigen Hoffnung, doch noch müde zu werden. Sie schlüpfte wieder ins Bett, hielt die Augen geschlossen und atmete regelmäßig.

Als es an der Türe klingelte, wachte sie auf. Sie mußte doch irgendwann eingeschlafen sein. Lange konnte das nicht hersein. Irma fühlte sich, als ob im Traum eine Dampfwalze über sie hinweggerollt wäre. Sie stand mühsam auf und öffnete die Tür. Eugen!

Ich habe dich geweckt, stellte er fest und küßte sie schmatzend. Er schob sich an ihr vorbei in die Wohnung, blickte sich flüchtig um und verzog abschätzig den Mund. Gemütlich hier, sagte er. Erinnert mich an das Motel in Psycho!

Irma war noch nicht wach genug, um die Bemerkung zu würdigen. Sie stellte sich in die Küche und begann schlaftrunken, den Kaffee zu machen. Eugen warf ein paar Papiertüten auf den Tisch.

Ich habe Frühstück mitgebracht, sagte er.

Tatsächlich waren in den Tüten genug Berliner, um einen Kindergeburtstag zu veranstalten. Mit Marmelade, mit Apfelmus und mit Vanillefüllung, zählte Eugen auf. Und solche ganz ohne Füllung.

Er nahm sich einen und biß hinein. Dunkelrote Konfitüre tropfte aus seinem Mundwinkel wie Blut.

Guten Morgen, sagte Nelly von oben.

Irma fuhr herum.

Nelly, rief sie, du solltest doch nicht aufstehen.

Es geht mir schon viel besser, antwortete Nelly ruhig. Langsam kam sie die Treppe herunter, Schritt für Schritt. Sie hielt sich am Geländer fest. Sie trug ihren karierten Morgenmantel und hatte die Haare zu einem Zopf gebunden. Sie ging auf Eugen zu und streckte die Hand aus. Ich bin Nelly, sagte sie, guten Morgen.

Eugen schluckte hastig seinen Berliner hinunter und wischte sich die Hand an der Hose ab, bevor er sie Nelly gab.

Eugen, sagte er, freut mich.

Er wirkte ein bißchen nervös. Irma versuchte zu sehen, was Nelly sah: einen schlaksigen jungen Nordafrikaner mit unruhigen Augen und einem Anflug von Bartflaum, nicht mehr als ein dunkler Schatten. Um die vollen Lippen zog sich ein Rand aus Puderzucker und Konfitüre. Er trug Jeans, Turnschuhe und einen orangen Kapuzenpullover, alles viel zu groß und nicht sehr sauber. Unter dem Tisch lag sein Rollbrett.

Ein Kind?

War es das, was Nelly sah, ein Kind?

Nellys Blick flog über die Berliner, die Irma auf einer großen Platte aufgetürmt hatte.

Berliner! rief sie. Das habe ich seit meiner Kindheit nicht gegessen!

Sie setzte sich an den Tisch, griff sich den obersten Berliner und biß herzhaft hinein. Vanillecreme spritzte zu beiden Seiten hinaus und klatschte auf den Boden.

Oh!

Nelly legte den Berliner auf den Teller und preßte ihre zierliche Hand vor den Mund. Eugen brach in wieherndes Gelächter aus, bückte sich aber sofort, um die Creme aufzuwischen.

Irma brachte den Kaffee.

Dann kam Reto.

Nelly, rief er wie ein Echo von Irma, du solltest doch nicht aufstehen!

Aber ich fühle mich schon sehr viel besser, wiederholte Nelly eigensinnig. Ein kleiner Schwächeanfall, weiter nichts.

Als sie die Berliner aufgegessen hatten, räusperte sich Eugen. Er hatte die ganze Zeit kein Wort gesagt. Nur beobachtet. Ich habe euch den Artikel mitgebracht, sagte Eugen. Er faßte in seinen Rucksack und zog einen Stapel Zeitungen hervor. Er reichte jedem ein Exemplar.

Es steht in der Wochenendbeilage, Seite sieben, sagte er.

Irma überflog den Artikel. Die Polaroidaufnahme war als Illustration verwendet worden, grob gerastert und dunkel. Wie ein Kriegsbild. Das war es ja auch.

Nelly legte die Zeitung ungeöffnet neben ihren Teller.

Nur Reto las den ganzen Artikel langsam durch.

Als er damit fertig war, sagte er verblüfft:

Die meinen aber nicht etwa die Politikerin Schwarz? Oder?

Irma lächelte etwas gezwungen.

Na, wenn sogar du das merkst . . .

Nelly unterbrach sie.

Ich möchte nichts mehr davon hören, sagte sie bestimmt. Ich möchte lieber wissen, wann wir endlich ans Meer fahren können.

Irma tauschte einen Blick mit Eugen.

Wir versuchen, dir dein Geld und deinen Paß wiederzubeschaffen, sagte sie vorsichtig. Ich denke, daß wir in einer Woche soweit sein könnten.

Nelly nickte. Ich möchte so bald wie möglich fahren . . . fliegen! Sie lachte. Ich werde langsam ungeduldig . . .

Und wohin fahren . . . fliegen wir denn, fragte Eugen unschuldig.

Irma stand auf und räumte ihren Teller weg. Sie hatte Eugen versprochen, daß er mitkommen würde, aber sie hatte Nelly noch nichts davon gesagt. Sie stellte sich vor den Spültrog, mit dem Rücken zum Tisch. Sie stand regungslos und lauschte.

Nelly ging über das «wir» hinweg.

Ich kann mich gar nicht entscheiden, sagte sie träumerisch. Eine Insel muß es sein . . . Palmen, Meer, Felsen . . .

Eugen grinste. Klingt gut, sagte er.

Nelly musterte ihn prüfend. Dann beugte sie sich vertraulich über den Tisch.

Komm doch einfach mit, sagte sie.

Eugen öffnete den Mund. Natürlich würde er mitkommen, das war doch so ausgemacht!

Er sah, wie Irmas Rückenmuskeln sich versteiften. O ja, sagte er freundlich, ich komme sehr gern mit, vielen Dank.

Irma kam langsam zurück und setzte sich wieder an den Tisch. Sie wich Eugens Blick aus.

Nelly wandte sich an Reto.

Und du natürlich auch.

Reto schüttelte den Kopf.

Nein, sagte er.

Nein? Aber Reto, natürlich kommst du mit! Du mußt!

Ich kann nicht, wiederholte er.

Aber warum nicht?

Ich kann einfach nicht, sagte er. Nelly gab nach.

Also gut. Aber du bringst uns zum Flughafen.

Nelly hob die Arme über den Kopf und seufzte.

Und bevor wir verreisen, möchte ich einmal noch auf deinem Motorrad fahren!

Nelly erholte sich zusehends. Es war wohl wirklich nur ein kleiner Schwächeanfall gewesen. Aber Irma fragte sich, wie sie das Gedränge und die Warterei im Flughafen, den möglicherweise endlos langen Flug überstehen würde. Sanft erhöhte sie die Dosis der Kreislauftropfen.

Am Sonntagabend rief Irma von der Telefonkabine aus Selma an, wie sie es verabredet hatten. Irma, sagte Selma atemlos, mein Telefon steht nicht still. Alle wollen wissen, ob es sich wirklich um die Schwarz handelt. Ich sage natürlich nichts!

Irma lächelte. Sie dachte an das Interview, das Frau Doktor Schwarz an diesem Wochenende hatte geben wollen.

Sie werden es schon selber herausfinden, sagte sie langsam.

Das werden sie wohl. Selma seufzte.

Und, was machen Sie so, fragte sie.

Irma zögerte.

Eigentlich nichts.

Selma seufzte noch einmal.

Kommen Sie am Dienstag nicht mehr zu uns?

Nein.

Ich habe schon eine neue Putzfrau, das ist es nicht. Aber ich werde Sie vermissen.

Selma . . .

Nun gut, ich lege jetzt besser auf. Mein Sohn ist wieder einmal verschwunden, ich will die Leitung freihalten. Für den Fall, daß er anruft.

. . .

Oh, ich bin daran gewöhnt. Er ist schon öfter über Nacht weggeblieben. Sicher diese neue Freundin . . .

Selma legte auf.

Irma stand noch eine ganze Weile frierend in der Telefonkabine und starrte auf den Apparat.

Ach, Eugen hatte also nicht zu Hause geschlafen. Ach, das tat er offenbar öfter. Und wo schlief er, wenn er nicht zu Hause in seinem Indianerzelt schlief? BEI IHR WAR ER JEDENFALLS NICHT!!!

Und? Was kümmerte sie das? Warum brannte jeder Atemzug im Hals und in der Brust? In der Telefonkabine war es kalt. Irma fror. Wahrscheinlich hatte sie sich erkältet. Wahrscheinlich hatte sie eine Lungenentzündung. Wahrscheinlich würde sie sterben. Sie ging nach Hause, goß eine halbe Flasche Whisky in eine Pfanne, machte ihn heiß und trank, so viel sie konnte.

Zwölf

Als sie am nächsten Morgen aufwachte, lag sie halb angezogen auf dem ungemachten Bettsofa. Ein ekelerregender Geruch hing in der Luft. Das Kopfpolster des Sofas war ganz naß. Hatte sie im Schlaf geweint? Weshalb? Dann fiel ihr alles wieder ein. Es verschlug ihr den Atem.

Eugen hatte eine Freundin. Natürlich.

Ganz ruhig, dachte sie. Natürlich hat er eine kleine Freundin. Ein Mädchen in seinem Alter. Du darfst jetzt wieder atmen.

Los, atme!

Irma seufzte tief. Sie hatte immer noch dieses Stechen in der Brust. Sie konnte nicht duschen, sie zog eine schmutzige Hose, die am Boden lag, über die Unterwäsche. Sie konnte nicht frühstücken, nur flüchtig den Mund spülen und die Haare bürsten.

Erst als Irma vor dem verschlossenen Gartentor der Familie Schwarz stand, erinnerte sie sich wieder. Die Erpressung. Eugen hatte alles vorbereitet. Deshalb war er nicht nach Hause gekommen! Sie klingelte energisch. Irgendwo ging ein Fenster auf, und ein Schwall Wasser platschte auf die Steintreppe vor dem Haus.

Ich bin es, Irma! schrie Irma.

Der Summer ertönte, und das Gartentor ließ sich aufdrücken. Irma ging kopfschüttelnd zur Haustüre, die von innen geöffnet wurde. Frau Doktor Schwarz griff nach Irmas Ellbogen und zerrte sie hinein.

Schnell! zischte sie.

Irma stolperte in den Hauseingang. Frau Doktor Schwarz trug einen alten, fleckigen Jogginganzug und eine Sonnenbrille, um den Kopf hatte sie sich ein gelbes Handtuch gewickelt.

Was ist passiert, fragte Irma mit einer Scheinheiligkeit, die sie selber erstaunte.

Endlich kommen Sie, flüsterte Frau Doktor Schwarz. Die anderen sind im Wohnzimmer. Wir müssen eine Familienkonferenz halten. Sie zog Irma am Ellbogen mit sich.

Aber ich gehöre eigentlich nicht zur Familie, protestierte Irma.

Frau Doktor Schwarz versetzte ihr einen Stoß in den Rücken. Irma taumelte ins Wohnzimmer. Auf den langen, dunkelbraunen Ledersofas saßen sie alle und blickten sie erwartungsvoll an. Irma schwankte. Da stand sie vor ihnen wie eine Angeklagte. Hatte man sie überführt?

Frau Doktor Schwarz drückte sie in ein Sofa. Sie landete neben Sibylle. Das war ihr recht so.

So, Sie gehören also eigentlich nicht zur Familie, wiederholte Frau Doktor Schwarz bitter. Solange Sie von uns profitieren konnten, taten Sie das sehr wohl, aber jetzt, wo es uns schlechtgeht . . .

Aber was ist denn passiert, fragte Irma noch einmal.

Frau Doktor Schwarz griff hinter sich in die Sofapolster, zog die Zeitung hervor und warf sie Irma zu. Die Zeitung flatterte zwischen den beiden Sofas zu Boden. Irma hob sie auf.

Da war ein Artikel auf der Lokalseite. Ganzseitig: Skandal um versteckte Großmutter – Aufsteigende Politikerin beteiligt?

Rufmord ist das, stieß Frau Doktor Schwarz zwischen den Zähnen hervor.

Irma überflog den Artikel. Er war leidenschaftslos formuliert, wie es dem Stil der Tageszeitung entsprach. Der Artikel von Selma wurde kurz zusammengefaßt, dann wurden die Hinweise auf Frau Doktor Schwarz erklärt. Am Schluß folgte das eigentliche Interview. Frau Doktor Schwarz hatte den Artikel in der Wochenendbeilage nicht gelesen und war aus allen Wolken gefallen. Sie erklärte sehr bestimmt, ihre Schwiegermutter sei gerade am Vortag gestorben (was für ein Zufall!), es sei ein Drama für die Familie und so weiter. Den Artikel von Selma bezeichnete sie, nachdem sie ihn flüchtig gelesen hatte, als erschütternd. Zum Beweis, daß sie solch einer Unmenschlichkeit nicht fähig wäre, führte sie die Beispiele von Eva und Vanessa an und erwähnte auch ihre Putzfrau, die sie auf die Abendschule geschickt hatte, mit dem Ergebnis, daß sie jetzt keine Putzfrau mehr hatte.

Die Journalistin zog den Schluß, daß dieser engagierten Frau so ein unmenschliches Verhalten nicht zuzutrauen sei, und bezeichnete Selmas Artikel als pure Effekthascherei.

Irma ließ die Zeitung sinken.

Das ganze Wochenende sind die Journalisten hier gewesen. Sie haben uns regelrecht belagert.

Frau Doktor Schwarz warf die Hände in die Luft.

Irma wußte nicht, was sie sagen sollte. Sie konnte fühlen, wie der leichte Körper neben ihr zitterte.

Ich verstehe nicht, was ich damit zu tun habe, sagte sie ein bißchen starrköpfig.

Ich auch nicht, sagte Eva und stand auf. Ich muß mit der

Kleinen an die frische Luft. Hier geht ja alles drunter und drüber.

Ihre leise klagende Stimme zog für einen Augenblick die Aufmerksamkeit auf sich. Frau Doktor Schwarz riß sich zusammen:

Tun Sie das, sagte sie, frische Luft ist gut für das Kind. Und der Wald ist so nahe! Es gibt herrliche Spazierwege hier oben!

Ich werde in die Stadt fahren, entgegnete Eva sanft. Ich muß auch wieder einmal unter die Leute. Wir werden uns in ein Café setzen.

Frau Doktor Schwarz wollte etwas einwenden, aber ihre eigenen Probleme waren doch wichtiger. Sie wedelte Eva mit der Hand zur Seite.

Tun Sie das, wiederholte sie unbestimmt. Und vergessen Sie Ihren Schlüssel nicht. Das Gartentor muß verschlossen bleiben.

Eva schwebte aus dem Raum.

Jetzt erhoben sich auch die beiden Jungen. Irma fiel wieder auf, daß die beiden immer beinahe gleichzeitig das gleiche taten, wobei der Jüngere immer einen winzigen Schritt zurückblieb.

Wir sollten uns für das Austauschjahr einschreiben, sagten sie, kannst du uns nicht hinfahren?

Frau Doktor Schwarz überlegte einen Moment. Dann setzte sie eine geduldige Miene auf und sagte mit gefaßter Stimme:

Also gut. Ihr habt ganz recht. Das Leben geht weiter. Am besten lassen wir uns nichts anmerken. Sie wandte sich Irma zu, die, das wurde ihr plötzlich klar, die einzige war, die es noch nicht bis zum Erbrechen gehört hatte:

Meine Partei beurlaubt mich von der Öffentlichkeitsarbeit, stellen Sie sich das vor! Und das, nachdem ich solchen

Erfolg hatte! Alles wegen dieser verleumderischen Schmierereien!

Können Sie die denn nicht verklagen? fragte Irma unschuldig.

Frau Doktor Schwarz schluckte.

Das kann ich, und das werde ich auch, sagte sie, doch ihre Stimme klang nicht sehr fest und überzeugte niemanden. Sie blickte einen Moment vor sich hin.

Dann stand sie auf, obwohl es sie sichtlich Anstrengung kostete, klatschte in die Hände und scheuchte ihre Kinder auf. Der Tag konnte beginnen. Die Verzögerung war schließlich nur minimal.

Herr Schwarz erhob sich müde. Er ging leicht gebückt, sein Gesicht war so grau wie seine Haare, und sein Hemd hing hinten aus der Hose. Er stand neben dem Telefon, als es klingelte. Ja, sagte er müde.

Und dann erstarrte er. Die Spannung war so spürbar, daß alle dort stehenblieben, wo sie sich gerade befanden, und gespannt lauschten. Irma bohrte die Fingernägel in die Handfläche.

Was sagen Sie?

. . .

Wer sind Sie?

. . .

Wie können Sie so etwas . . . meine Mutter ist tot. (Seine Stimme klang brüchig an dieser Stelle.)

. . .

Ich verstehe. Ich verstehe.

. . .

Aber . . . kann ich, ich meine . . . (Hier versagte sie ganz.)

. . .

Gut. Gut.

Es folgte eine lange Pause. Herr Schwarz hielt den Hörer fest an sein Ohr gedrückt. Sein Gesicht verzog sich, und Tränen quollen aus seinen Augen. Er öffnete den Mund, ohne einen Laut von sich zu geben, und ein Faden Speichel floß heraus.

Dann legte er den Hörer auf.

In die atemlose Stille hinein fragte Frau Doktor Schwarz:

Was ist los? Wer war das, Liebling?

Irma hatte noch nie gehört, daß sie ihren Mann Liebling genannt hätte. Er zog ein riesiges gelbes Taschentuch mit weißen Tupfen aus der Tasche und wischte sich das Gesicht ab.

Nichts, nichts, sagte er leise, ein ganz übler Scherz.

Auf das Stichwort kam wieder Leben in die anderen Familienmitglieder. Sie bewegten sich langsam aus dem Haus. Herr Schwarz ging als letzter. Sein Rücken war wieder ganz gerade.

Irma wußte, daß Nelly mit ihm gesprochen hatte. So war es vereinbart gewesen. Sie wußte jetzt auch, daß er am Freitag in die Aquarium-Bar kommen und das Geld mitbringen würde. Dann könnten sie endlich verreisen. Es war schon beinahe geschafft.

Der Tag verlief ohne weitere Vorkommnisse. Eva rief einmal an und verlangte, daß man sie mit dem Wagen abholte, aber es war gerade niemand da, der sie abholen konnte. Irma sagte ihr das mit einer gewissen Genugtuung. Eva legte ohne ein Wort auf.

Irma putzte das Haus gewissenhaft. Sie wollte sich nicht darauf verlassen, daß Frau Doktor Schwarz nicht mehr die Nerven dazu hatte, ihre Arbeit zu kontrollieren. Das traute sie ihr durchaus noch zu.

Zum Mittagessen kam niemand nach Hause, und das wunderte sie nicht.

Aber irgendwann am Nachmittag stürmte Sibylle in die Küche, wo sich Irma von den dunkelroten Fliesen verabschiedete, indem sie jede einzelne mit einem weichen Lappen blankrieb.

Irma, rief Sibylle, ich war beim Vortanzen! Ich glaube, ich habe es geschafft. Ich habe keinen Fehler gemacht, keinen einzigen!

Irma lächelte. Wann weißt du Bescheid?

Noch diese Woche!

Sibylle wirbelte um den Tisch herum, ließ sich schließlich in einen Stuhl fallen und streckte die Beine von sich. Sie war immer noch für die Bühne geschminkt, die Augen mit dicken Linien umrandet, die Augenbrauen bis zu den Schläfen nachgezogen.

Ich bin sicher, du hast es geschafft, sagte Irma ernst.

Sibylle sprang wieder auf, riß den Küchenschrank auf und nahm sich ein riesiges Stück Schokoladentorte, die jeden Sonntag selbst gebacken wurde.

Sie aß und lachte mit vollem Mund. Sie war glücklich. Sie hatte alles vergessen, was nicht Ballett war. Großmutter inklusive.

Die Ballettakademie hat ein Internat, sagte Sibylle, wenn Mama versucht, mich rauszuwerfen, ist mir das egal, dann wohne ich eben dort.

Irma setzte sich zu ihr an den Tisch.

Nehmen Sie auch ein Stück, drängte Sibylle, er ist wirklich sehr gut. Ich habe schon so lange keinen Kuchen mehr gegessen.

Um fünf Uhr war Frau Doktor Schwarz noch nicht zu Hause. Irma zog ihren Ledermantel an und wartete. Endlich kam sie. Sie starrte Irma an, als hätte sie jemand anderen erwartet.

Man hat mir geraten, Ferien zu nehmen, sagte sie schließlich. Stellen Sie sich das einmal vor.

Ich muß gehen, sagte Irma, es ist schon nach fünf.

Frau Doktor Schwarz nickte geistesabwesend.

Natürlich, gehen Sie ruhig. Und wo sind die anderen? Sind die Buben noch nicht nach Hause gekommen?

Nein, sagte Irma. Sibylle ist in ihrem Zimmer. Sonst ist niemand da.

Irma nestelte am Riemen ihrer Tasche. Abwartend stand sie da.

Nun gehen Sie schon, sagte Frau Doktor Schwarz ungeduldig. Die Ratten verlassen das sinkende Schiff, ist es nicht so?

Sie drehte sich um, um die Treppe hinaufzugehen.

Ich bekomme noch mein Geld, sagte Irma laut.

Frau Doktor Schwarz hatte so etwas noch nie vergessen. Sie drehte sich um und fuhr Irma an:

Ihr Geld bekommen Sie noch, aha. Habe ich Ihnen nicht eben gesagt, ich sei gebeten worden, Ferien zu machen? Wo soll ich denn das Geld hernehmen, bitte schön?

Irma starrte Frau Doktor Schwarz nur an. Und sie starrte zurück. Dann drehte sie sich abrupt um und ging die Treppe hinauf; jeder ihrer Schritte dröhnte durch das ganze Haus. Sie kam mit einem Umschlag zurück, den sie Irma vom Treppenabsatz aus vor die Füße warf. Irma bückte sich danach.

Kommen Sie am Freitag wieder? fragte Frau Doktor Schwarz hochmütig.

Ja, sagte Irma.

Ich denke, ich kann mich glücklich schätzen, meinte Frau Doktor Schwarz achselzuckend und ging an ihr vorbei ins Wohnzimmer. Irma hörte noch, wie sie sich an der Bar bediente. Dann verließ sie leise das Haus.

Irma nahm das Geld und lud Nelly und Reto und Eugen zum Abendessen ein. Irma konnte sich nicht erinnern, wann sie das letzte Mal in einem Restaurant gegessen hatte. Es war ein kleines, modernes Grillhaus nahe dem Einkaufszentrum in der Vorstadt. Die Tische standen in kleinen Nischen, die durch klobige Balken abgetrennt waren. Dicke rote Kerzen standen auf dem Tisch. Es gab Salate, große Fleischbrocken vom Grill, gebackene Kartoffeln mit Sauerrahm und gedeckten Apfelkuchen. Amerikanisch. Eugen gefiel es.

Nelly sah gut aus, aber ein bißchen müde. Sie legte die Speisekarte verwirrt neben ihren Teller und bestellte einfach dasselbe wie die anderen.

Irma bestellte eine Flasche Rotwein.

Für mich bitte eine Cola, sagte Eugen.

Er trinkt noch nicht, dachte Irma. Er ist eben doch noch ein Kind.

Sie hob ihr Glas und sagte: Am Freitag ist alles überstanden.

Die Gläser stießen klingend zusammen.

Und wann geht es los? fragte Reto.

Und wohin überhaupt? fragte Irma.

Ich habe eine wunderbare Idee, sagte Nelly, die ihr Glas immer noch hochhielt. Wir fahren einfach zum Flughafen hinaus und nehmen den ersten Flug, auf dem wir noch Plätze bekommen.

Yeah! rief Eugen. Ich bin dabei!

Meinst du nicht, daß das zu anstrengend ist? fragte Reto besorgt. Stell dir vor, so kurz vor Weihnachten ist der Teufel los auf dem Flughafen, und du bist immer noch nicht ganz gesund.

Mir geht es sehr gut, sagte Nelly ein bißchen trotzig.

Irma schüttelte den Kopf.

Und was ist, wenn der erste Flug, den wir kriegen, nach Grönland geht, gab sie zu bedenken.

Nelly nippte an ihrem Glas und überlegte einen Moment.

Ich weiß! rief sie. Wir verabreden das vorher. Der erste Flug, der in den Süden geht, den nehmen wir.

Also gut. Irma lächelte.

Aber . . . Reto machte sich Sorgen.

Wir machen es so, wie Nelly es will, sagte Irma bestimmt und trat unter dem Tisch auf Retos Fuß.

Nellys Augen strahlten. Sie hatte das Essen kaum angerührt. Ihre Wangen waren rot vom Wein, und sie hatte sich ganz leicht die Lippen geschminkt. Sie sah glücklich aus. Aber nicht gesund.

Dienstag, Mittwoch und Donnerstag arbeitete Irma nicht mehr. Sie hatte all ihren Arbeitgebern gekündigt.

Reto kam jeden Tag vorbei. Irma hatte sich an ihn gewöhnt. Zusammen pflegten sie Nelly gesund, sie gingen mit ihr spazieren, sie kochten ihr Tee, sie wuschen ihre langen Haare. Nelly ging es jeden Tag besser. Sie machte sich daran, die Koffer zu packen.

Immer wieder wurde Irma losgeschickt, um etwas zu besorgen. Eines Tages wurde die Bankkarte vom Automaten verschluckt und nicht mehr ausgespuckt.

Ich habe kein Geld mehr, sagte Irma, als sie mit leeren Händen nach Hause kam.

Liebes, das tut mir aber leid, sagte Nelly. Es ist alles meine Schuld. Zum Glück bekomme ich ja morgen mein Geld zurück.

Morgen!

Du hast doch gesagt Freitag, oder?

Irma nickte.

Du kannst mein Geld haben, sagte Nelly, wir werden ja nicht alles für die Ferien ausgeben.

Dann wandte sie sich an Reto:

Die Sonne scheint gerade so schön, sagte sie, was ist mit der Fahrt auf dem Motorrad, die du mir versprochen hast?

Aber Nelly . . .

Sie stand schon auf. Ich ziehe mir ein Paar Hosen an, sagte sie, und als Reto den Mund öffnete: Keine Widerrede. Du hast es versprochen.

Wie eine besorgte Mutter stand Irma vor dem Haus und sah zu, wie Nelly neben das Motorrad trat, das ihr noch nie so schwer erschienen war. Nelly verlor sich in Irmas viel zu langer Hose und der dicken Jacke. Ungeschickt setzte sie den Helm auf und schnallte ihn unter dem Kinn fest. Reto ließ das Motorrad anlaufen. Vorsichtig kletterte sie hinter ihn. Sie mußte dreimal das Bein in die Luft schwingen, dann saß sie. Ganz langsam fuhr Reto an. Sie drehten eine kleine Runde vor dem Haus, an Irma vorbei, Nelly hob vorsichtig den Arm zum Gruß. Dann beschleunigte Reto, und sie fuhren zur Straße hinunter. Irma meinte, einen freudigen Schrei zu hören.

Dreizehn

Am Freitagmorgen wurde Irma im Haus der Familie Schwarz von Eva empfangen.

Lustlos öffnete sie die Türe, das Kind saß auf ihrer Hüfte, als ob es dort angewachsen wäre.

Ach, du bist es, sagte Eva mißgelaunt.

Wer sonst.

Irma schob sich an ihr vorbei ins Haus. Eva folgte ihr so nahe, daß Irma stolperte. Sie wandte sich heftig ab, zog ihren Mantel aus und band sich ein Tuch um den Kopf. Der Zettel lag nicht auf dem Tisch.

Irma ging in die Küche. Eva folgte ihr immer noch. Irma begann die Küche zu putzen. Eva setzte sich an den Tisch, das Kind auf dem Schoß. Irma putzte schweigend um sie herum. Eva ließ die blonden Kringellöckchen vors Gesicht fallen und fütterte Vanessa mit Biskuits, von denen sie ganz kleine Eckchen abbrach.

Was ist eigentlich los mit dieser Familie, fragte Eva unvermittelt. Ich dachte, die seien etwas Besseres.

Sind sie auch, sagte Irma. Sie haben nur gewisse Probleme im Moment.

Eva verzog das Gesicht.

Kein Mensch kümmert sich um uns, sagte sie leise.

Irma zuckte mit den Schultern. Dafür bekommst du alles, was du brauchst.

Ach, weißt du, seufzte Eva, heute morgen habe ich Stefan angerufen, ich wollte wissen, ob ich zurückkommen kann. Und weißt du, was er gesagt hat? Du wirst es nicht glauben: Sie brauchen das Zimmer, weil Barbara schwanger ist. Schwanger!

Ausgerechnet die!

Irma lächelte.

Warum soll ausgerechnet die nicht schwanger sein?

Eva verzog das Gesicht. Als ob nur ein schönes Geschöpf wie sie Kinder haben könnte. Dann warf sie einen Blick aus dem Fenster, wo der Himmel grau verhangen war. Eva seufzte noch einmal.

Ich glaube, ich gehe ein bißchen nach oben, sagte sie. Mir ist langweilig.

Tu das, antwortete Irma unkonzentriert.

Irma fand Eva im Ankleidezimmer wieder, das neben dem Badezimmer lag, eine Art begehbarer Schrank mit einem wandbreiten Spiegel. Sie hielt sich ein altmodisches Cocktailkleid vor, das Frau Doktor Schwarz wohl zu den seltenen Gelegenheiten trug, bei denen es zu feiern galt. Eva verzog weinerlich das Gesicht. Das Kleid war unvorteilhaft geschnitten und würde nicht an ihren zierlichen Körper passen, selbst wenn es ihr gefallen würde.

Später lag sie auf dem Liegestuhl im Badezimmer, nackt, mit nassen Haaren, und rauchte eine Zigarette. Irma verschlug es den Atem. Das hatte sie sich immer gewünscht, einmal an einem nebelverhangenen Nachmittag so im Liegestuhl zu liegen.

Was macht die Kleine, fragte sie giftig, solltest du nicht nach ihr sehen?

Oh, sie schläft, antwortete Eva sanft. Irma blieb nichts anderes übrig, als die Flasche mit dem doppelt konzentrierten Putzessig vor Evas Füße zu leeren.

Angewidert rümpfte sie die Nase, stand auf und ging auf Zehenspitzen zur Tür. Sie nahm den Morgenrock von Herrn Schwarz vom Haken und schlüpfte hinein. Er war viel zu lang für sie. Zierlich raffte sie ihn und verließ das Badezimmer leise. Wütend wischte Irma ihre Spuren mit säuerlichem Essig weg. Sie riß die Fenster auf, um den beschlagenen Spiegel zu reinigen und die parfümierten Dämpfe von Evas Bad zu vertreiben.

Darauf würde sie verzichten müssen. Auf das Bad. Aber das war auch das einzige. Irma räumte die Putzutensilien weg und ging in Ediths Zimmer. Sie setzte sich auf das schmale Bett und schlug das Tagebuch auf. Letzte Episode:

14. 12. Oma ist gestorben. Mama hat es uns heute abend

gesagt. Papa ist aufgestanden und aus dem Wohnzimmer gegangen OHNE EIN WORT. Ich glaube, er schläft in der Bibliothek. Ich werde nachher schnell nachschauen, ich werde einfach die untere Toilette benutzen. Sibylle hat geweint, aber ich kann mich ehrlich gesagt gar nicht mehr an Oma ERINNERN. Sibylle hat Mama angestarrt, als ob sie an allem SCHULD wäre!

Das Vortanzen ist am Montag. Ich hoffe nur, sie kommt nicht durch. Ich hoffe das zu ihrem Besten, denn Mama würde sie verstoßen, und mit dreißig hätte sie keinen Beruf mehr und kein Geld und kaputte Knochen. Sie wäre ein KRÜPPEL. Außerdem bleibe ich sonst nächstes Jahr allein zu Hause mit Eva und diesem UNERTRÄGLICHEN Kind. Kaum war es drei Tage da, mußte ich es schon HÜTEN. Zwei Stunden am Nachmittag. Es hat die ganze Zeit geheult. Schließlich habe ich es in einen Sessel vor den Fernseher gesetzt und die Türe zugemacht. An SCHREIBEN war natürlich nicht zu denken bei dem Krach. Leider habe ich vergessen, wieder nachzuschauen, und als Eva nach Hause kam, lief der Fernseher mit voller Lautstärke, und die Kleine war vom Stuhl gefallen. Mama hat geschimpft, aber eigentlich nicht sehr überzeugend.

15. 12. Irgendwie ist ein Unglück passiert. Mama war so AUFGEREGT wegen dieses Journalisten, und dann muß irgend etwas schiefgegangen sein. In der Schule haben mich alle so blöd angegrinst, ich hab erst gedacht, es sei wegen Hannes und Christian, weil sie von der Schule geflogen sind, aber nein, es war eine Geschichte in der ZEITUNG über eine alte Frau, die in einem Keller eingesperrt war, und die Familie hieß ROTH, und deshalb glaubten alle, es seien wir. Etwas Dümmeres habe ich noch nie gehört. Ich habe nur zu ihnen gesagt, daß meine Großmutter gestern gestorben ist, und es gelang mir sogar zu WEINEN. Sie

entschuldigten sich dann für die Taktlosigkeit. Ja, bitte! Tony hat gesagt, ich solle darüber schreiben. Tod eines Familienangehörigen ist immer ein Thema, hat er gesagt, obwohl es natürlich schon besser ist, wenn gleich die Eltern sterben.

Oh, Tony!

Als ich nach Hause kam, war Mama völlig außer sich wegen dieses Artikels. Ich habe sie noch nie so gesehen. Sie hat gesagt, wir müssen jetzt alle zusammenhalten und den Schmutz, mit dem wir beworfen werden, einfach an uns abprallen lassen. So hat sie das gesagt. Gut formuliert. Aber ich verstehe GAR NICHTS. Das einzig Gute an der Sache ist, daß Eva wohl nicht mehr lange hierbleiben wird. Ich habe ihr deutlich angesehen, daß sie sich das alles GANZ ANDERS vorgestellt hat!!!

17. 12. Sogar die blöde Kuh von einer Putzfrau wurde in die Geschichte hineingezogen. Das ganze Wochenende waren Journalisten da. Mama hatte einen ANFALL!! Sie hat sich auf den Boden geworfen und sich die Haare gerauft und geschrien. Gestern und heute sind weitere Artikel erschienen, die aber eher sagen, es seien ungerechte Angriffe. Mama wollte die Zeitschrift verklagen, aber in der Kanzlei haben sie ihr FERIEN gegeben. Heißt das wohl, daß wir bald kein Geld mehr haben?

19. 12. Sibylle hat das Stipendium bekommen. Sie kann sogar in dieser Ballettschule wohnen. Und sie hat es Mama noch nicht einmal gesagt. Sie sagt, es sei ihr völlig egal, wie Mama reagiert, Mama sei für sie GESTORBEN. Also bitte!! Ob man wohl darüber schreiben könnte?

Fest steht jedenfalls, daß ich allein in dem Schlamassel zurückbleiben werde.

Hannes und Christian sollten in eine Privatschule gehen, aber Papa hat gesagt, wir hätten kein Geld mehr. Jetzt sieht es so aus, als würden sie schon bald nach Amerika fliegen. Mama hat geweint. Tony sagt, ein echter Künstler muß ganz unten gewesen sein, und sei es nur für kurze Zeit (ich hoffe doch, es geht nicht allzu lange!). Dazu hat er ganz ernst geblickt. Ich glaube, er weiß ganz genau, wovon er spricht. Mir wurde ganz komisch zumute. Ich mußte mich die ganze Zeit räuspern!

Das ist die Liebe, dachte Irma und schlug das Tagebuch zu. Nachlässig schob sie es unter das Kopfkissen. Unterdessen gefiel ihr der schnoddrige Stil der Kleinen. Sie hätte sie gern um eine Fortsetzung gebeten, aber das ging ja wohl nicht.

Kurz vor fünf kam Frau Doktor Schwarz nach Hause. Sie wirkte verwirrt. Sie trug einen schwarzen Mantel, Kopftuch und Sonnenbrille. Sie sah aus wie eine kleine Landfrau in Trauer. Ihre gesetzte Gestalt fiel so viel mehr auf, ihre eckigen, unschönen Bewegungen. Sie ging ohne ein Wort an Irma vorbei ins Wohnzimmer. Irma folgte ihr. Frau Doktor Schwarz lag auf dem Sofa und trank einen Cognac.

Mögen Sie auch einen?

Irma lehnte ab.

Ich möchte mich verabschieden, sagte sie, wie gesagt, ich kann nicht mehr kommen. Die Schule . . .

Frau Doktor Schwarz winkte ab.

Gut, gut, sagte sie. Ich habe heute meine Söhne verloren, dagegen kann ich Ihren Verlust gerade noch verschmerzen, das verstehen Sie doch.

Oh, sagte Irma, ist etwas passiert?

Ich komme gerade vom Flughafen. Frau Doktor Schwarz atmete schwer. Ich habe sie heute schon nach Amerika geschickt. Sie sollen von dieser Hetzkampagne gegen mich nicht berührt werden. Eine Mutter muß ihre Brut schützen, auch wenn es ihr das Herz bricht. Ex und hopp!

Sie streckte die Hand mit dem leeren Glas aus. Irma nahm das Glas und füllte es ganz automatisch wieder auf.

Mein Mann war heute den ganzen Tag nicht zu erreichen, sagte Frau Doktor Schwarz. Unentschuldigt der Arbeit ferngeblieben. Bald sind wir beide arbeitslos.

Sie trank noch einen Schluck.

Nun, er wird schon wieder zurückkommen. Wo sollte er auch sonst hingehen!

Und das Glas war wieder leer.

Ich muß jetzt gehen, sagte Irma.

Frau Doktor Schwarz setzte sich halb auf.

Und Sie wollen Ihr Geld, was, fragte sie schlau. Ihre Stimme klang betrunken.

Ja gerne, sagte Irma und wartete.

Frau Doktor Schwarz wühlte in ihrer Handtasche. Sie drehte sie um und schüttelte sie. Spiegel, Kamm, Lippenstift, Brillenetui, Straßenplan und Terminkalender fielen heraus, und ein kleines Portemonnaie mit Knopfverschluß. Frau Doktor Schwarz öffnete das Portemonnaie, ein paar Münzen lagen darin, sie nahm sie und drückte sie Irma in die Hand.

Kein Geld mehr da, sagte sie knapp, mein Mann hat das Konto geplündert! HA!

Irma drehte sich um. Im Türrahmen sah sie die flatternde Bluse und den blonden Lockenschopf von Eva weghuschen. Sie hatte das Gespräch offenbar mit angehört.

Als Irma an der Haltestelle auf ihre Straßenbahn wartete, sah sie Eva unten an der Ecke in ein Taxi steigen. Sie hatte ihr Kind bei sich und einen großen, ganz neuen Lederkoffer.

Vierzehn

Die Aquarium-Bar hatte gerade erst geöffnet und war noch ziemlich leer. In einer Nische ganz vorne an der Bühne saß Herr Schwarz vor einem großen Cocktailglas, das mit einer blauen, schäumenden Flüssigkeit gefüllt war, und starrte vor sich hin. Die Liebe der Matrosen, so hieß der Drink des Hauses. Absolut mörderisch. Andrea kam hinter der Theke hervor, um Irma zu begrüßen.

Er küßte sie auf beide Wangen und nannte sie Schatz.

Ist er das, tuschelte er mit einem Bühnenflüstern, das durch den ganzen Raum zu hören sein mußte.

Das ist er, nickte Irma.

Hm, hm, summte Andrea frivol, also, ich glaube schon, daß wir da etwas ausrichten können ... Bring mir einen Gin Tonic, bat Irma und drückte kurz Andreas Arm, bevor sie zu Herrn Schwarz an den Tisch trat. Sie blickte sich kurz um. Außer ihnen saßen nur noch zwei oder drei einsame ältere Herren an möglichst weit auseinanderliegenden Tischchen. Irma sah, was Andrea gemeint hatte: Herr Schwarz hatte denselben verlorenen und unbestimmt sehnsüchtigen Blick wie die anderen Herren, die hier wohl zwischen Geschäftsschluß und Vorortszug heimlich ein bißchen auftankten. Bevor sie in ihre ordentliche Welt zurückkehrten.

Herr Schwarz, sagte Irma und setzte sich neben ihn auf die Kante eines Stuhles. Er hob den Kopf und starrte sie an.

Irma, sagte er endlich, und seine Stimme klang vollkommen resigniert.

Das hätte ich nun wirklich nicht gedacht, murmelte er. Ausgerechnet Sie!

Ich habe Ihrer Mutter das Leben gerettet, sagte Irma, und das wissen Sie auch. Haben Sie das Geld?

Herr Schwarz schob ihr unter dem Tisch eine neue Aktenmappe zu. Irma bückte sich, um sie zu öffnen, als Andrea mit den Getränken an ihren Tisch trat. Unaufgefordert hatte er für Herrn Schwarz einen weiteren Drink gebracht.

Dieser geht auf Kosten des Hauses, sagte er freundlich.

Herr Schwarz schwieg verwirrt.

Sie sind doch das erste Mal bei uns, oder?

Herr Schwarz nickte geistesabwesend. Nur langsam schien das Bild des jungen blonden Matrosen in sein Bewußtsein zu dringen. Er lächelte schüchtern.

Ich hoffe, es gefällt Ihnen, sagte Andrea, streifte flüchtig seine Schulter und verschwand wieder zwischen den Tischen. Herr Schwarz sah ihm lange nach. Irma zählte unterdessen das Geld.

Stimmt, sagte sie. Und der Paß?

Herr Schwarz faßte in die Innentasche seines Jacketts und nahm den Paß heraus. Er legte ihn auf den Tisch und strich noch einmal mit der Hand darüber.

Hier, sagte er leise und schob ihn über den Tisch. Irma prüfte ihn kurz. Er war noch gültig. Irma betrachtete lange das Paßbild. So hatte sie vor der ganzen Sache ausgesehen: ein hübsches, klar geschnittenes Gesicht, unnahbarer Blick, feines, spöttisches Lächeln. Kaum Falten. Ihr Gesicht war rund, sie mußte leicht übergewichtig gewesen sein. Übergewichtig! Irma schob den Umschlag über den Tisch. Darin befanden sich eine Polaroidaufnahme von Nelly mit der Tageszeitung von heute in der Hand (Eugen hatte darauf bestanden, daß alles genau wie im Fernsehen gemacht wurde) und ein Brief, den sie gestern noch geschrieben hatte.

Das Vorabendprogramm begann mit Jolanda und Viola. Irma kannte die Show. Sie beobachtete die Tänzer im

Hintergrund mit ihren knappen Kostümen und lächelte, als sie daran dachte, daß sie beinahe einer von ihnen geworden wäre.

Mein lieber Emil, schrieb Nelly, während du diesen Brief liest, bin ich schon unterwegs. Ich werde mit ein paar Freunden ans Meer fahren. Ich freue mich sehr darauf, du weißt, wie gern ich immer gereist bin.

Ich nehme an, ich werde dir verzeihen müssen. Ich rede mir ein, du seist nicht ganz du selber gewesen unter dem Einfluß dieser Frau. Mit dieser Frau hast du dich selber bestraft, Emil. Wofür? Das mußt du schon selber wissen. Ich möchte, daß du mir versprichst, gut auf Sibylle aufzupassen, die, wie ich höre, ein Stipendium für die Ballettakademie erhalten hat. Bitte sorge dafür, daß sie diese Ausbildung zu Ende führen kann. Sie hat übrigens immer von mir gewußt!

Ich hoffe, du wirst deine Frau verlassen. Wir werden uns wohl nicht wiedersehen.

Leb wohl

Mama

P. S. Ich nehme an, du bist dir bewußt, was es für Folgen hätte, wenn du Irma Schwierigkeiten machen würdest.

Irma kannte den Brief auswendig. Herr Schwarz las ihn zweimal, faltete ihn dann sorgsam zusammen und schob ihn mit dem Umschlag und dem Photo in die Innentasche seines Jacketts. Er beachtete Irma nicht mehr. Wie gebannt starrte er auf die Bühne. Irma stand auf.

Ich gehe mir die Nase pudern, sagte sie geziert, aber er hörte ihr nicht zu. Irma ging durch das Lokal, das sich langsam füllte, zum Hinterausgang. Im Vorbeigehen gab sie Andrea ein kleines Zeichen.

Sie ging an den Telefonkabinen vorbei und sah gerade noch, wie Andrea den Tisch von Herrn Schwarz ansteuerte. Im Vorraum vor den Toiletten plätscherte ein Springbrunnen. Irma konnte den Blick nicht von der Treppe wenden, die in den ersten Stock hinaufführte, den berüchtigten ersten Stock. Sie war nahe daran, hinaufzugehen. Nur um zu wissen, wie es dort aussah. Oben am Treppenabsatz saß eine dicke Frau auf einem Klappstuhl und strickte.

Haben Sie sich verlaufen, Kleine, rief sie hinunter. Ihre Stimme klang tief und dröhnend. Nicht sehr vertrauenerweckend.

Nein, nein!

Irma drehte sich um und lief durch den Hinterausgang auf die Straße.

Nelly und Irma feierten allein zu Hause. Irma brauchte zwanzig Minuten, um eine Flasche Champagner zu öffnen. Der Korken saß zu fest. Sie versuchte es mit Gewalt, mit einem Handtuch, mit einer Zange, schließlich köpfte sie den oberen Teil des Korkens mit dem Brotmesser und benutzte dann den Korkenzieher. Das Fehlen des charakteristischen Korkenknallens dämpfte die Stimmung ein wenig. Sie stießen an.

Wir haben es geschafft! sagte Irma mit gezwungener Munterkeit.

Ja. Nelly blickte traurig in ihr Glas. Sie dachte an ihren Sohn.

Sie aßen kleine teure Leckerbissen aus dem Delikatessenladen, obwohl Nelly anfangs protestierte, das sei kein richtiges Essen und nicht gut für den Magen. Der Champagner heiterte sie oberflächlich ein wenig auf.

Nelly holte das kleine Notizbüchlein unter ihrem Gürtel hervor, nahm den Bleistift aus der Schlaufe und blätterte.

Ihr Ruf, las sie halblaut vor und strich das Wort durch.

Karriere – gestrichen.

Söhne – gestrichen.

Garten.

Nelly hob den Kopf und sah Irma an. Irma nickte langsam.

Den Garten, sagte sie gedehnt, den hätte ich doch beinahe vergessen!

Frau Doktor Schwarz hatte ein Schlafmittel genommen. Die Geräusche von draußen drangen nur undeutlich wie durch dichten Nebel zu ihr. Sie glaubte erst, es gehörte zu ihrem beunruhigenden, immer wiederkehrenden Traum. Sie erkannte die Schatten in ihrem Schlafzimmer. Sie mußte also doch wach sein. Schließlich stand sie auf und ging zum Fenster.

Sie konnte nicht glauben, was sie sah. Sie mußte immer noch träumen.

Sie schüttelte den Kopf. Sie zwickte sich in den Arm. Das Bild blieb.

Der Mond schien blaß über ihren kahlen, winterlichen Garten. Zwei dick vermummte Gestalten bewegten sich über den Rasen. Sie öffneten die Tür zur Abstellkammer und holten Gartenwerkzeug heraus. Die lange Hacke. Die größere von ihnen holte einen Gartenstuhl, klappte ihn auf und stellte ihn mitten auf die Wiese. Die kleinere Gestalt setzte sich. Mit verschränkten Armen schaute sie zu, wie die andere mit der langen Spitzhacke den Garten zerstörte.

So, wie sie dasaß, die kleine Person im dicken Wintermantel, erinnerte sie Frau Doktor Schwarz an ihre Schwiegermutter. Aber das konnte alles nicht wahr sein. Frau Doktor Schwarz war verwirrt.

Du mußt schlafen, dachte sie, schlafen.

Sie legte sich wieder in ihr Bett. Sie nahm noch eine Schlaftablette, spülte sie mit Wasser hinunter. Sie hörte immer noch das Scharren und Hacken unter ihrem Fenster. Die Schlaftablette schien nicht zu wirken. Sie nahm noch eine und noch eine und zur Sicherheit noch eine . . .

Ich hole uns ein paar Zeitschriften, sagte Irma. Sie stand auf und ging steifbeinig zum Zeitungskiosk hinüber. Ihre Beine waren vom stundenlangen Sitzen eingeschlafen. Es war Sonntag vor Weihnachten, und im Flughafen war die Hölle los. Das ganze Land schien sich hier zu drängen, um den Feiertagen zu entfliehen oder auch nur dem unverändert trüben Wetter.

Im Moment stand Eugen in der langen Schlange vor dem Schalter. Sie wechselten sich beim Anstehen ab. Viele hatten die Hoffnung, noch einen Stand-by-Flug zu erwischen. Nelly und Reto saßen händchenhaltend in der Wartehalle. Reto ließ sich nicht dazu überreden, doch noch mitzukommen.

Nelly hielt sich gut. Das nächtliche Abenteuer im Garten hatte sie nicht überanstrengt. Sie hatte sich den ganzen Samstag ausgeruht. Sie hatte es aufgegeben, Reto überzeugen zu wollen, und saß einfach still da. Lächelnd blickte sie vor sich hin. Wahrscheinlich sah sie schon die Palmen.

Irma stand vor den Aushängeblättern der Sonntagsausgaben.

Überraschendes Ende der Affäre Schwarz – Selbstmord?

Irma nahm sich die Zeitung aus dem Ständer und blätterte sie stehend durch. Der Artikel meldete den Tod von Frau Dr. Schwarz auf der dritten Seite. Sie war am Samstag gegen Mittag tot in ihrem Bett gefunden worden. Ihre

Tochter hatte sie gefunden, die dreizehnjährige Edith. Sie waren allein im Haus: die Söhne in Amerika, die Tochter im Internat der Ballettakademie, das Au-pair-Mädchen hatte gerade gekündigt. Au-pair-Mädchen! Irma hoffte nur, daß Eva das las. Der Ehemann galt als vermißt. Er war seit Freitag verschwunden. Man suchte intensiv nach ihm. Der Tod von Frau Doktor Schwarz war ein Unfall: zu viele Tabletten. Der Artikel warf aber doch die Frage nach der moralischen Verantwortung auf: Hatte die Hetzkampagne Frau Doktor Schwarz in den Tod getrieben?

Irma zuckte mit den Schultern. Sie faltete die Zeitung zusammen, kaufte noch ein paar Illustrierte, Taschenbücher und Kaugummis. Für den Druckausgleich.

Als sie zu den Wartebänken zurückging, fragte sie sich, wie Edith wohl damit fertig werden würde. Dann fiel es ihr wieder ein: Was für ein wunderbares Thema für eine Geschichte, würde sie sagen und ihren Schulfüller aufschrauben. Irma lächelte.

Reto stand auf und kam ihr ein paar Schritte entgegen.

Ich glaube, Eugen ist schon ganz vorne in der Schlange, sagte er, ich werde ihm helfen. Irma nickte. Eugen konnte nicht einfach so ein Ticket kaufen. Natürlich nicht.

Er war ja noch ein . . .

Irma setzte sich neben Nelly und hielt ihr die Zeitung hin. Nelly warf einen Blick auf die Überschrift und winkte dann ab.

Das interessiert mich nicht mehr, sagte sie leise. Es ist vorbei.

Irma stand auf und warf die Zeitung in den Papierkorb.

Eugen galoppierte auf sie zu. Er hielt drei Tickets in der Hand.

Ist das nicht geil, schrie er von weitem, wir fliegen nach Mallorca! In vierzig Minuten geht der Flug!

Irma warf Nelly einen vorsichtigen Blick von der Seite zu.

Mallorca, das klingt hübsch, sagte Nelly und zwinkerte Irma zu, Mallorca, das klingt viel hübscher als Putzfraueninsel.